The ART and HEART of Drum Circles

ファシリテーターのためのドラムサークルの創り方・楽しみ方

アート・アンド・ハート・オブ・ドラムサークル

CHRISTINE STEVENS

Printed in Japan

ATN, inc.

献　辞

人間は生まれながらの音楽性をもっているということが、今ますます広く信じられるようになっています。本書は、世界中が待ち望んでいた音楽活動への道を、我々に示してくれています。

ジョー・レモンド、　NAMM理事長／CEO

ドラムサークル活動に係わる、または興味を抱く、ベテラン・ファシリテーターからファシリテータ志望の人まで、すべての人が必読の本です。

カール・ブルン、音楽活動およびウェルネス運動の父

いかなるドラムサークルも成功すること間違いない、すばらしい概要になっている。絶対に読まなければ！

バリー・ビットマン，医師、マインド・ボディ・ウェルネス・センターCEO

クリスティーン・スティーヴンスは、彼女のドラムサークルでのリーダー・シップとウェルネス関連の経歴から得た癒しの力を結びつけて、ドラムサークルのリーダーたち、教師、レクリエーションのスペシャリスト、宗教団体のリーダーや、健康に関する専門家に、ビジネス界の人に、そして、アマチュア・ドラマーたちにも、大変役に立つ本を提供してくれました。

ウィル・シュミット博士、MENC元理事長、**ワールド・ミュージック・ドラミング**著者

この本は、リズム活動のファシリテーションの何たるか、何ゆえ行うのか、いかにすべきか、を我々が知るために、大きな貢献をしてくれています。クリスティーン・スティーヴンスは、未来のドラムサークル・ファシリテーションとはどのようなものかを示してくれると同時に、我々がそこに到達できるよう、導いてくれてもいるのです。

アーサー・ハル、ヴィレッジ・ミュージック・サークル主宰、**ドラムサークル・スピリット**著者

この10年、クリスティーンは世界中にうずまくコミュニティー・ドラムサークル運動の進む道を照らすトーチになってきました。彼女はまたこの新しい本によって、ドラミングが、どんな年齢や生き方の人にも受け入れられるということについて、自分自身が学んだことをあなたと共有してくれています。

バリー・バーンスタイン、MT-BC、音楽療法士、ヘルシー・サウンド・ディレクター

音楽活動をすべての人が楽しめるようにするためのドラムサークルに、大変思慮深く、かつ感覚的にアプローチしています。すばらしい能力です！もうこれなしには何もできないでしょう。

リン・クライナー、オルフ・メソッド指導者／教育者、ミュージック・ラプソディー創立者、
ベイビーズ・メイク・ミュージック・シリーズの制作者

ドラミングの動きとアートをとおして、クリスティーン・スティーヴンスが、私たちの創造力とあそび心を呼び覚ましてくれました。それがどれだけ深くからみ合っているか、いたか、にかかわらず.....

ケリー・ブルゴス、ミュージック・ケアズ社

この本は、音楽活動を楽しい経験にしてくれる、簡単で手軽なガイドです。3歳の子どもにも103歳の人にも。

バーバラ・ロイアー、Phd、MusicWorx of California創始者、理事長、元全米音楽療法協会会長

もくじ

謝　辞

ジーン・オサリヴァンは、偉大な作家であり、エディター、音楽家、演奏家で、何度もこの原稿を読み、会話をとおして、情報提供の最も有効な方法を指導してくれました。

ブラッド・スミスは、NAMMショウの会場の、あちこちのブースからひっきりなしに聞こえる騒音の真っ只中で、このハル・レナード社のプロジェクトに招き入れてくれた人です。

ヘレン・バーバラは、びっくりするほど即興の得意な写真家で、本書に載っているすばらしい写真を撮ることと、ドラムサークルに参加することの板ばさみに、大変辛い思いをしていました。

ガボール・エケーチは、My Generation(わが世代)誌用にドラムサークルの写真を撮る仕事で参加したのですが、感激して、本書のためにも写真を提供してくれました。

レモ・ベリーと**アミ・ベリー**がいなかったら、ドラムサークル運動は今のような状況にはないと思います。２人は、カリフォルニア州ノース・ハリウッドにある、レモ・レクリエーション・ミュージック・センターで、私たちが毎週ドラムサークルの実験(デモンストレーション)をする時、いつも先生になってくれています。

バリー・ビットマンは、医学博士、神経科医、研究家、作家、プロデューサー、そして写真家。発想豊かな指導者であり、HealthRHYTHMSの共同ファシリテーターでもあります。

カール・ブルンは、音楽活動とウェルネス運動の父、比類なき指導者で、偉大なクラリネット奏者であり、いろいろな発想のできる人です。レクリエーション指向の音楽活動について、不屈で明快な使命感をもっています。

アーサー・ハルは、驚くべきインスピレーションの持ち主で、コミュニティーのドラムサークルの哲学について、私の眼を開いてくれた人です。さらに私が音楽業界に係わるようになったすべての段階で、サポートしてくれました。

ピーター・ガイルスは、ドラムサークルの何たるかを、非常に信頼でき、真摯に、かつ完璧に、さまざまなメディアをとおして断固として語り、大成功を収めています。

バリー・バーンスタインは、打楽器を使った音楽療法の分野でのパイオニアであり、開発したプログラムは、医療関係者からウェルネス、予防健康法の分野にも普及しています。

カラニは、教育者でありファシリテーターでもあって、ドラムサークルの教育面に大きな関心をもち、大変すばらしい討論を展開するきっかけを作ってくれました。

ロバート・ローレンス・フリードマンは、優れた作家でありファシリテーターでもあり、その著書によって多くのファシリテーターが刺激を受け、またストレス解消やグループ向けの療法としてのドラミングに意見を寄せてくれました。

ステファニー・バッフィントンは、ドラムサークルのファシリテーターであるだけでなく、心のガイドであり、パサデナ・ドラムサークルや私たちのディスカッションでリーダーシップをとってサポートしてくれて、これが偉大な示唆となりました。

コナー・ザウアーが、20年を超える女性グループでのドラムサークル・ファシリテーションの経験を通して得た豊富な知識が、いつもバックで支えてくれていました。本書の中には彼女の知恵があちこちに織り込まれています。

ジャネット・プラネットは、インターネット・ワールドからアガペ教会に至るまで、ロサンゼスのものすごいドラムサークルで、何度もジュンジュンを叩いたリズム仲間です。ファシリテーションの心を、実にみごとに実証してくれる人です。

デボラ・ブラッドウェイは、問題をかかえた10代の若者に対する療法として、ファシリテーションをもち込んだ有能な音楽療法士であり、ドラムサークル・ファシリテーターです。

サミー・ケイは、もともとすばらしいプレイヤーで、私が初めてドラムを習った先生です。18年前にミシガン州立大学のクラスで打楽器試験をパスしたのは、彼のおかげです。今では私の仕事のパートナーであり、またBody Beat™の共同創立者。そして、UpBeat Drum Circlesでは最高のファシリテーターです。

ドン・ダヴィッドソンは、リズムと頭がともにとてもすばらしい人で、話していると、お互いにいつまでも教えられることがあります。

チャロ・エドゥアルドは、ドラムサークルでやるサンバ・リズムの楽しさと喜びを教えてくれました。

ジョン・フィッツジェラルドは、アジアの3ヵ国でいろいろなグループとドラムサークルをやった、あのものすごいツアーで、いっしょにファシリテーションをやりました。

スペンサー・ストランドは、音楽制作ビジネスでは最高に創造力豊かな頭脳の持ち主で、本書のプロジェクトとそのメッセージに心から賛同して、サポートしてくれました。

私の家族は、ハリウッドのHouse of Blues（ブルースの家）でのDay Drum L.A（ロサンジェルス・デイ・ドラム）や、サン・ディエゴのナヴァル医療センターでのCancer Survivor's Day（癌を克服した人たちのための日）でのドラムサークルに、私が引っ張り出したために、すっかり平穏な家庭を奪われてしまいました。

アジアのドラムサークル・チーム、ヤマハ株式会社とヤマハ・ミュージック・トレーディング株式会社のおかげで実現した、たくさんのドラムサークルと研修によって、日本でのレクリエーションおよびウェルネス・ドラムサークルが確立してきました。また、韓国ではコスモス・ミュージック、香港のトム・リー・ミュージック、さらに台湾のKHSミュージックが、冒険にみちた私のリズム旅行を組織してくださいました。そして、これらの国々での経験をすべて成功に導いてくれたのは、ロバート・シェンの莫大な尽力でした。

最後に、これまでに一度でも私といっしょにドラムを叩いてくださったあなた、あなたの心、あなたのリズム、あなたの音楽と人への愛をともにしていただき、ほんとうにありがとう。

序　文

アーサー・ハル

すべての始まりは、新時代のドラムサークル・ファシリテーション運動のパイオニアたち、すなわちジンミ・トゥー・フェザーズ、サドニア・ケイヒル、バリー・バーンスタイン、ウバカ・ヒル、ボブ・ブルーム、そしてアーサー・ハルなどが、それぞれに、リズムを基にしたイベントのもたらす効果には、共通の原則があることを再発見していたことでした。

７人の盲目の人たちが象の別々の部分に触って全体のイメージをつかもうとした、あのお話しのように、このパイオニアたちそれぞれが、この古代の芸術表現を発見し、掘り起こし、復活させるのは自分だけだ、と考えていたのです。**明々白々の真実が放つ、まばゆいきらめき**についてそれぞれが自分の解釈をしていたわけです。これはロープなのか、木の幹なのか、壁なのか、はたまた蛇なのか？

それぞれが探求していく過程で、ドラムサークルのパイオニアは他にもいるということがわかり始めて、このリズム中心のイベントが無限の可能性をもつものになる、という私たちそれぞれの解釈が、ひとつの窓でしかないことに気づいたのです。それぞれを組み合わせたり比べてみると、**解釈の窓**が、モダン・ドラムサークル運動というダイアモンドの、カットされた１つの面になってきたのです。

ドラムサークルが、思いつきや単なるはやりと考えられていた時代に、このダイアモンドは形作られてきたのですが、その面の数は少しでも、可能性はたくさんもっていたわけです。そして20年後、私は、しっかり定着して可能性がいっぱいつまった、アマチュアのハンド・ドラミング運動の真中に居る自分に気がつくにいたりました。ダイアモンドが形を成してきたのです。これは、徐々に生まれてきたドラムサークルのファシリテーターたちが集まって、それぞれの発見や意見を交換したことで可能になったのです。そしてその過程で、ファシリテーターのコミュニティーが創られてきました。

私はまた、今成長途上のドラムサークル・コミュニティーの中心的ネットワーカー、クリスティーン・スティーヴンスの隣にいつも自分が居ることに気がついています。レモ社のヘルス＆ウェルネス・ディレクターという彼女の立場をとおして、世界各地のいろいろなファシリテーターをつなぐことができ、また豊富な知識、精神と情熱で、ドラムサークル・コミュニティーを元気にしてくれました。

クリスティーンがこの本を書くことで、ダイアモンドに新たな一面を加えてくれたことを、うれしく思います。リズムを基にしたこのイベントのファシリテーションとは何か、なぜするのか、どうするのか、この知識を豊富にするという大きな貢献をしてくれるものだからです。彼女が私たちに示そうとしている解釈の窓は、この本のタイトルに表れています。ドラムサークルのファシリテーターとして、私がサポートし、活用できるということ、それは私にとって、新鮮な視野になります。次世代の若いファシリテーターが、ダイアモンドのカット面をさらに増やしていくことで、ファシリテートされたリズム・イベントの未来は、形作られていくと思います。クリスティーンはこの本の中で、未来を見せてくれるだけでなく、私たちをその未来に導いてくれています。

クリスティーンのすばらしい貢献に、心からありがとうと言います。

アーサー・ハル（Village Music Circle主宰、ドラムサークル・スピリットの著者）

ハワイでのファシリテーター・ワークショップで、ドラムサークルをいっしょにファシリテートしているアーサーとクリスティーン

はじめに

本書には、あなたが今ドラムサークルを始めたいと思っている場所、例えば、あなたの属するコミュニティーや職場、学校や楽器店、教会、ヨガ・センター、YMCA、家庭など、あらゆる場所で、始める力を与えてくれるさまざまな方法が書かれています。本書は2つのパートに分かれていますが、ドラムサークルの要素がいかに単純であるか、すなわち音楽(アート)と人(ハート)だけであることが示されます。ドラムサークルのファシリテーションは、あなた自身の音楽能力と相手への思いやりによって、その人が変化していくのをどれだけサポートできるかということで、その2つの要素がそのまま反映されるのです。

どんなにたくさんの資料があっても、**経験**以上に教えられることはないでしょう。私たちは、いつも学ぶことと教えることの両方の側面をもっているものですが、あなたにもいつも以下のような先生がついていてくれます。

ドラムサークルに参加してくれる人たち

参加者たちからのフィードバック(反応)に耳を傾けましょう。どういうところが良かったか、気に入らなかったかなどを聞くことが勉強になります。

ファシリテーション・コミュニティー

ファシリテーターのボブ・アンツローヴァー(コロラド州デンバー)が作った、ドラムサークル・リストに登録する場合は、Eメールをdrumcircles-subscribe@yahoogroups.comに送りましょう。

ビデオ・カメラ

自分で自分を見ることです。あなた自身が最も良い指導者であり、批評家になり得るのです。

研修プログラム

最終的には、実践的なライヴ・トレーンニング・プログラムに参加することです。実際に体験し、専門家からのフィードバック(評価)をもらうことができて、上達する貴重な機会になります。

私にとってファシリテーションは、古来行われている聖火リレーに参加するようなものだと思っています。その昔、人びとが生活の中のお祝い事や精神高揚の目的で、ドラムを叩いたり踊ったりしたことに始まる、音楽という精神の炎をともしたトーチ(松明)を、一人ひとりが持って走る、聖火リレーです。ファシリテーターがチームに入ると、みんなが歓迎して新しいトーチに火をともし、その火が最初にともされた源を思い起こします。ドラムサークルの運動が、たえず人びとの心と精神を高揚させているのに呼応して、音楽を楽しむ機会と、ファシリテーターがそのような機会をリードしていくことへの必要性は、益々高まっています。

さあ、トーチを取って、そしてドラムサークルという聖火リレーに加わってください。

Part I

ドラムサークルのアート

The ART of Drum Circles

Gabore Ekecs

古代人の智恵

ドラムサークルというものは、いつ、どこで始まったのでしょうか？誰が、みんなが輪(サークル)になっていっしょに太鼓を叩く、なんという活動を考え出したのでしょうか？

こうした疑問にはっきりとお答えすることはできませんが、少なくとも理論的に説明することは可能ですし、実際に説明した学者はたくさんいます。ひとつ確かなことは、ほとんどの文化圏で、儀式や祝い事の折には太鼓を叩いている、ということです。どうもドラムサークルというのは、最も単純でしかも最も美しい形で、人びとを無言のうちに結びつけることができるもの、つまり音楽をとおして、分かち合い助け合うという最も基本的な人間の欲求に関係しているようです。

トレンドが教えてくれること

タイム誌、USA Today、New York Timesなどの主なメディアで、この古代人の知恵であるドラムサークルについて、**急速に成長する心身全体の健康思考**(*My Generation, AARP.)と呼んで、熱っぽく取り上げています。かつては、ヒッピーが海岸や公園でやる草の根的な活動と考えられていたこのドラムサークルが、今やトヨタのアメリカ本社や世界銀行連盟協議会のような場で行われているのです。組織の役員、神の求道者たち、子どもから高齢者に至るまで、グループでドラムを叩くというこの活動は、一時のきまぐれにとどまってはいません。さあ、今こそ、私たちの文化を変え、コミュニティーの集まりに力を与えてくれるという、大きな可能性をもった音楽創りのウェーヴに乗ってみましょう。

レクリエーション・ドラミング

レクリエーションという言葉は、ラテン語のrecreatio(レクレアティオ)という言葉(健康の回復という意味)から発しています。バリー・ビットマン博士の研究調査によって、健康の改善を目的としたドラミングの力が実際に検証されています。報告書によると、今までドラムを叩いた経験がない普通の人が、**グループ・エンパワーメント**(グループで互いに力を与え合い、向上するという意味)と名づけたグループ・ドラミングを1時間経験すると、ナチュラル・キラー細胞がかなり増加して、ストレス反応が減少する(Alternative Therapies代替療法、2002年1月、ビットマンほか)というのです。この大地をゆるがすような画期的な研究発表は、ドラムサークルやレクリエーション・ドラミングがストレスを減らし、健康維持の方法として信頼性を高めるきっかけになりました。(この研究調査と研修プログラムの詳細については、www.remo.comの*Health*RHYTHMSを参照)

レクリエーション・ドラミングでは、リズムに乗る、即興をする、アンサンブルするなどの音楽能力も伸ばしてくれますが、それよりはるかに多くのことを得られます。ストレス解消、自己表現やコミュニティーでの人間関係も含めて、レクリエーションとして音楽をやることがもたらす意義は、演奏の上達などではありません。その本質は、誰もがもって生まれた音楽を見つけ出すこと、ドラムが大好きな人や趣味でやりたい人には、一生音楽を続けられるように道筋をつけることなのです。

レクリエーション・ドラミングの意義

グループ・ドラミングは、上手にドラムを叩けるようにしようというものではありません。上手に生きることを示唆するものです。

グループ・ドラミングは、すばらしい演奏を聞かせる場ではありません。すばらしいサポートができたり、自己表現ができる場です。

グループ・ドラミングは、演奏を教えるものではありません。人びとに演奏する機会を与えようとするものです。

グループ・ドラミングの優れたファシリテーターは、必ずしも才能のあるミュージシャンであるとは限りません。思いやりのある、心優しい、直観力のあるガイドなのです。

グループ・ドラミングは、テクニックを身につけるためのものではありません。一人ひとりがエンパワーメントのために、力を共有するためにあります。

（Remo社が2001年著作権登録し、ビットマン、ブルン、スティーヴンス制作*Health*RHYTHMS™研修マニュアルより、許可を受けて引用）

ドラムサークルの基本原則

古代の人びとが実践していたことと、現代の文化が求めている、創造的な表現と人間的つながりとを結びつけることによって、強力な錬金術が生まれて、すべてをドラムサークルと呼ばれる美的経験として融合させたのです。このドラムサークルにはさまざまな形がありますが、ほとんどは以下のような原則に従って行われています。

観衆はいません

参加者全員が、すでにその音楽経験の一部になっているから

リハーサルはありません

そこにある音楽は、過去に５線紙に書かれた楽譜を読んでできるものではなく、その時、その場で創られるから

正しいとか間違っているということはありません

ドラムサークルは、安全で寛容で、しかも新しい発見のある場である

先生はいません

先生ではなく、ファシリテーターがいるから

そのファシリテーターには２つの役割がある。目の前のグループがそれなりに音楽的にドラムを叩けるようにすることと、お互いにつながりのあるひとつの共同体だということに彼らの意識を向けること

包み込む精神

年齢にも能力にも区別なく、誰でも歓迎されるから

即興性優先

音楽とコミュニティーの結びつきをサポートするということ以外には、特に事前の計画ができているわけではないから

ドラムを叩くということの他に、たくさんの目的があります

実際、レモ・レクリエーション・ミュージック・センター（RMC）で調べたところでは、火曜日の夜に行われるドラムサークルに参加している人の多くは、ストレス解消のため、という理由をあげていました（実に50％！）。そして約35％の人が、ドラムの叩き方を習いたくて、という理由で参加していました。

ドラムサークルの二面性

ドラムサークルには思いがけない二面性があります。１つは自由に創造することであり、もう１つは共通のビートを感じる、ということです。これは、即興をとおしての自己表現と、グループのリズムに合わせようとする気持ちや行動が、うまくバランスされるというドラムサークルの人間的な面といえるでしょう。ドラムサークルが音楽教室になってしまうと、この二面性は失われてしまいます。本書では、リズムを教えることなどに迷ったりせず、誰もが本来もっているものを見つけ出すという点に、特に注目していこうと考えています。

エントレインメントの科学

エントレインメントとは、同時性の法則のことで、お互いに近くにある２つの異なるリズムが、自然に同調していくことを意味します。専門的にいうと、**位相**または自然の流れを創りながら相互に**調和**するという意味です。ドラミングにおいては、２人が別々のリズムを叩いているうちに、自然に同じリズムになっていくというのがエントレインメントです。この原理は、1600年代に物理の実験から発見されたことですが、それは隣り合う２つの振り子が、違うテンポで揺れていたのにいつしか同じテンポになっていた、という事実によります。人間は本来リズムをもっているので、同様のことが起こるのです。従って、ごく自然になるがままにしていくこと、無理をしないことです。エントレインメントの自然の恵みが邪魔されるとしたら、それは私たち自身のあたまのせいです。

課題：バード・ウォッチング

編隊を組んで空を飛んでいる雁を観察しましょう。まったく同じテンポで翼を動かしているでしょう。そのリズムは、リーダーが指示するテンポに同調することで、70％も効率よく飛ぶことができるようになるといわれています。

課題：人間ウォッチング

通りをいっしょに横切っている人たち、または舗道をいっしょに歩いている人たちを観察してみましょう。彼らはお互いのリズムに同調し合いながら、無意識のうちに同じ歩調で歩いています。人が何かいっしょに行動している時のエントレインメントの例に目を向けてみましょう。リズムが同調してユニゾンになっているのがわかります。

サークル
The Circle

Helene Barbara

「ドラミングは、基本的に社会的な行動です。リズムをとおして，人種や文化や思想に関係なく、他の人たちと関る時には、なにか純粋で、心の底からつきあがるものがそこに生まれてきます。輪になってドラムを叩くことは、とても社会的で、人間らしいことなのです」

ジョセフ・ウォーカー　高等学校校長

Circle：サークル、輪、円、循環の意。
共通の中心で回転すること（メリアム・ウェブスター辞典より）

サークルの中での呼びかけ

ドラムサークルという芸術的活動は、ドラムの音が出る前にすでに始まっています。それはファシリテーターがどう話し始めるか、そこから始まるのです。あなたがこれから始まるドラムサークルについてどう伝えていくか、その伝え方が、参加する人の期待感に大きく影響してきます。ポスターには、以下のようなドラムサークルに参加することの長所を強調しましょう。

- 楽しいこと
- 自己表現
- ストレス解消
- 社会的交流、コミュニティーの構築
- 心や身体、精神のエクササイズ
- 仲間意識と相互支援
- 世代を超えた家族でできる活動
- リズムに乗ったり、即興をしてみたり、アンサンブルをする、といった基本的な音楽能力の向上そして、次のような大事な表現も忘れないようにしましょう。

- 楽器は貸与すること、または手持ちのドラムや打楽器を持参できること
- 音楽をやったことがなくても、全然かまわないこと
- どんなレベルの人でも参加できること
- どんな年齢の人でも参加できること

あなたの地域で、口コミの宣伝が頼めそうな人のリストを作ります。視野を広くもつことです。女性のためのドラムサークルなら、大学構内の女性研究プログラムの教室でチラシを配ったりe-mailを送るのです。初回参加者が少なくてもがっかりしないように。ドラムサークルは定期的にやるようになれば、徐々に増えてくるという傾向があります。(さらにいろいろなアイディアは、www.REMO.comのdrum circlesをクリックして見つけるとよいでしょう。そしてあなた自身のドラムサークルを立ち上げましょう)

ドラムサークルのセッティング

人類が誕生して以来、人びとは何か大切なことがあるといつも、輪になって集まるということをしてきました。サークル(輪)はコミュニティー、つまり共同体を作ります。そこには上下関係はなく、平等の感覚が全体にいきわたっています。それは、コミュニティーを立ち上げたり、人生を謳歌するための手段、そして、大きな変化のきっかけになるはずです。

まず、サークルの中心を決めることから始めます。真中にドラムを置くか、あるいはマークをして、椅子(できれば肘おきのないもの)を、その真中から等間隔のところに置いていきます。人が立って作るサークルのの場合にも、真中にもセンター・ラグなどを置いて焦点を合わせるとよいでしょう。ただ、サークルは決して**ステージ**ではありません。そこは、グループ全体やファシリテーター、時にはダンサーたちが、ドラミングのエネルギーで満たしてくれるように空いた状態になっています。また、サークルには出入りのためのスペースもとっておきます。車椅子の参加者のために十分余裕をもつのも忘れないようにしましょう。誰でも窮屈な思いをするのはいやなので、みんなが気持ちよく座って、隣の人と無理に接近していると感じないように配慮しましょう。

30人くらいのドラムサークルであれば、一重の輪がやりやすいでしょう。もしもっと大きなグループでやることになったら、同心円の輪をもう1つ作ると、全員がお互いのビートを聞けます。全員が着席した後、1つか2つ空席の椅子があっても、急いでその椅子をどけてしまわないようにしましょう。誰も居ない椅子には**ご先祖さま**が居るという意味があるので、あなたのドラムサークルにもそういう方がたに参加してもらうと、きっと音楽が盛り上がりますよ。

Helene Barbara

レクリエーション·ミュージック·センター(RMC)のセット·アップ

輪にならないセッティングの場合

楕円や四角

ドラムサークルをやっている間に、参加者同志がもっと交じり会えるようにするため、場所を移動してもらいます。ベース·ドラムやベルを真中近くに置き、長い方のスペースでは、参加者に床に座ってもらいましょう。

ホールのステージ、教会など演奏会場の場合

あなたがステージの上でサークルを始めることもできますが、少しずつフロアの真中の方に移動して、参加者にあなたの方を向いてもらうようにします。そこで輪になったような感じができるでしょう。もしずっとステージに居なくてはならない状況であれば、誰か勇気ある人に舞台に上がってもらいましょう。

大きな柱のある部屋の場合

あなたの合図が全員に見えることを確認します。ファシリテーターの死角になるので、柱の陰に椅子を置かないように気をつけましょう。

あなたのチームを作る

ファシリテーターだけではなく、たくさんの人がドラムサークルの成功に関わっています。表面に出てくる実際のドラムサークルに限らず、これをサポートする内なるサークルを作る必要があります。さまざまな人脈を利用して、次のような役割をもつ人がいるチームを作りましょう。

役　割	内　　容
セット･アップ	サークルを作るためにドラムや椅子を並べたりする
挨拶する人	参加者が入って来た時に歓迎して受け入れをする。参加者がそこに着いた時、最初に笑顔を見ることができる。同時に、指輪をしている人にドラミングする前にはずしてくれるよう注意する
ドラムを配る人	サークルを回って、参加者が適切なドラムを持っているかを確認し、なにか補助の必要な人やマレットが欲しいとか、違う楽器がやりたい人などに対応する
リズムの協力者	グルーヴを支えたり、ベース･ドラムやベルを叩いたりして、リズムのサポートを頼める人
片づける人	楽器を集めたり、その他の道具などを片づける人

注意：あなたのドラムサークル･チームにお礼を言い、きちんと評価することを忘れないように心がけましょう。このことは、ファシリテーション実践法の要素の１つで、この言葉が聞かれないサークルはありえません。

楽器について
The Instruments

「ドラミングの時のリズムを、仕事にもち込んでいます。そうしたら笑うチャンスが増えたわ」
ジーン・オサリヴァン，作家

「ドラムサークルの中では全然ビートをはずさないで、それでもちゃんとコミュニケーションはできるわ」
マリ・ウイチャンコ，経理アナリスト

Instrument：器具、道具、手段の意。
何かを達成したり、演奏したりさらに伸ばしたりする手段となるもの。
音楽を創るために使う道具（メリアム・ウェブスター辞典より）

ドラムサークルを構成しているほんとうの楽器は、**人間**です。ドラムはその人間の声になっているわけです。ドラムは、今すぐ始めてすぐにできるようになる、つまり、音楽表現のための手っ取り早い入口を提供してくれます。ドラムで叩くリズムは、実は私たちが生まれる前から体内で打っているものです。でもそれを実際に自分が叩けることを知ると、みなさんとてもびっくりするんですよ！

時には自分のドラムや打楽器を持参する人もいます。もし会場でドラムが借りられる場合には、持ち込み楽器の使用が可能かどうか確認しましょう。

ドラムの並べ方

- 参加者が自分のやりたい楽器を手に取りやすいように、サークルの真中にドラムをきれいに並べる
- 椅子の上にいろいろな形で置いておく。大きなグループで、全員がそろって部屋に入って来て、すぐにドラムサークルが始められるというような場合は、このやり方がよい
- サークルの近くのテーブルの上にドラムを置いておき、参加者が入ってきた時にドラムを選べるようにする

ファシリテーターの中には、自分のドラムの*キットを持っている人がたくさんいます。このキットには、市販のドラムと、手作りの楽器もありますが、もしあなたがこのようなキットを作りたいのであれば、次のようなポイントでドラムや打楽器を決めるとよいでしょう。

- 軽いこと
- 持ち運びできること
- 丈夫なこと
- 天候に左右されないこと
- チューニングが楽なこと、または初めからできていること
- メンテナンスが簡単なこと
- 子どもがいじっても問題がないこと
- 収納できること

レモ社では、上のような点を考慮して**ワールド・パーカッション**を作っていますが、これらは、レクリエーションにも、ドラムサークル用にも、非常に優れたものです。私は30個のパドル・ドラムをこの7年ずっと使っていますが、今でもすばらしい音がしています。

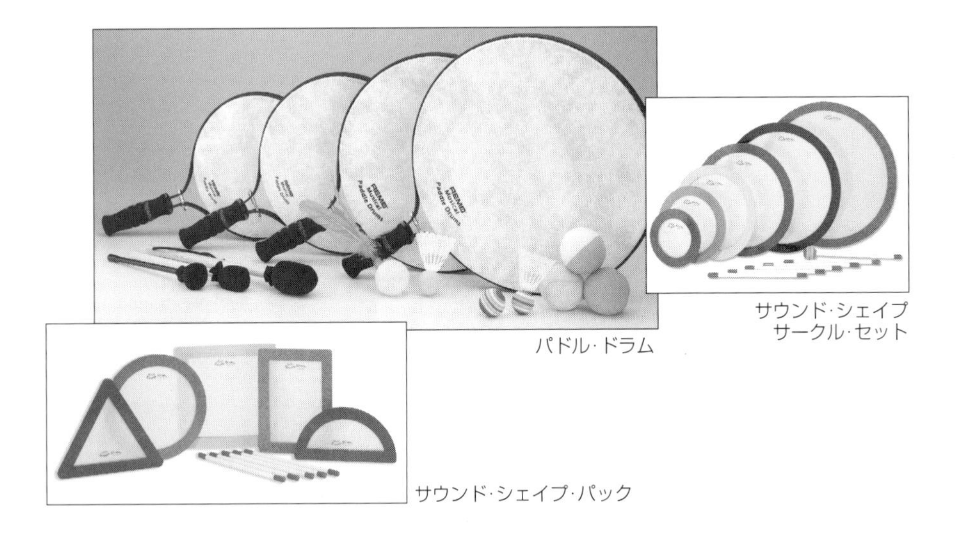

パドル・ドラム

サウンド・シェイプ
サークル・セット

サウンド・シェイプ・パック

*kit：道具(用具)一式、ひとそろいの意。

Remo

レモ社のドラム各種

レモ社の打楽器各種

アーサー･ハル･ネスティング･ジュン･ジュン

参加者全員分の楽器がない場合でも、ドラムサークルでは、例えば、声(ヴォーカル)や身体(ボディ)のパーカッション･サウンドのような内なる楽器、目に見える実際の楽器の両方が使えることを思い出して上手に工夫しましょう。

音響上の環境

参加者がそれぞれ、自分にいちばん合った楽器を見つけられるようにするために、音のバランスや配置を考えた環境を創ることが大切です。**ティンバー・グループ**(アーサー・ハルによる音色別楽器群)と呼ばれるこれらの楽器は、さまざまな音響的な役割を果たしながら、ドラムサークルの中で多大な貢献をしてくれます。

世界中には、地球の大きさほど多彩なパーカッションがあります。私はいつもどこか遠い国から来た、時にはおかしな打楽器に遭遇しています。以下に、ドラムサークルの初期の段階で使える、多文化対応のドラムと、その役割を一覧にしました。

ティンバー・グループ	役　割	発　祥　地
ベース・ドラム	これはまさに、音楽を創る上でもう１人のファシリテーターとなる エントレインメントを進行する 安価でキーになる役割を果たす	**スルド**：ブラジル **ドゥンドゥン**：西アフリカ **ギャザリング／パウワウ・ドラム**：アメリカ原住民 **ボンボ**：ペルー **ネスティング・ジュンジュン**：アメリカ／アーサー・ハル **太鼓**：アジア **キッズ・ギャザリング・ドラム**：アメリカ／子ども
ハンド・ドラム	フィル・イン	**ジャンベ**：西アフリカ **ドゥンベック**：中東 **コンガとボンゴ**：ラテン・アメリカ **トゥバーノ**：レモ社の発明 **フレーム・ドラム**：複数の文化圏
マレット・ドラム	*パルスをサポートする	**バッファロー・ドラム**：アメリカ原住民 **サウンド・シェイプ**：多文化圏 **フレーム・ドラム**：多文化圏
ピッチのある楽器	ソロのドラミングに最適 メロディーができる	**クイーカー**：ブラジル **スリット・ドラム**：多文化圏、特にアフリカ **ブームワッカー**：ワッキー・ミュージック社 **ジョイア・チューブ**：ジョイア・パーカッション社 **サウンド・シェイプ**：レモ社
シェイカー	細かいフィル・イン シャイな人でもすぐにできる 安心感を与える	**ラトゥル**：アメリカ原住民およびアフリカ **マラカス**：南アメリカ、キューバ、ブラジル **シェイカー**：多文化圏

*pulse：律動(音)、拍子、拍、鼓動、躍動の意。

ティンバー・グループ	役　割	発　祥　地
木の楽器	打楽器の音をスタッカートにする タイム・キーパーとして最高	クラベス：ラテン・アメリカ、 プイリ・スティック：ハワイ ルミ・リズム・スティック：多文化圏 ギロ（スクレイパー・タイプ）： ラテン、カリビアン
ベル	音が大きい、全体をカットする 担当する人に注意が必要、 ピッチをつけてメロディーを出せる	カウベル：多文化圏、 アゴゴ（２種の音のベル）： ブラジル、アフリカ、チベット地方
タンブリン	簡単、*バックビートに最適 教会でもよく使われる	タンブリン： イタリア、ヨーロッパ、アメリカ リック：エジプト パンデーロ：ブラジル
*アンビエント楽器	全体の構成に彩りを添える ビートに乗っていられない人に大きな助け	オーシャン・ドラム：レモ社 スプリング・ドラム： レモ／トリロック・グルティウ共同発案 サンダー・チューブ： レモ／ロバート・フィッシュボーン発案、 レイン・スティック： 中央・南アメリカ、アメリカインディアン チャイム／ウィンド・チャイム： チベット他、多文化圏

課題：２つずつ

ノアの箱舟のように、いつも私はどの楽器も２つずつ入れるようにしています。そうすれば叩く時、自分ひとりという感覚にならないですみます。特にベース・ドラムは、全体のグルーヴの基礎になるので責任重大です。すべての人はドラミングのパートナーになるに値するので、どんなに大きな**パーカッション・サウンドの海**にいても見分けがつき、すぐに仲良しになってしまうでしょう。

*back beat：アフター・ビートともいう。偶数拍子の時の偶数時または弱拍を意味する。２拍めと４拍めを強調するドラミング。
*ambient：環境、取り巻く状況、雰囲気などの意。

ドラムの配置

2つのベース・ドラムは、内側のサークルの中に対角線になるようにして、中心から同じ距離のところに置きます。こうすることで、ドラムサークルのどちら側からも、いつも基本になる低い音を感じていられます。またカウベルかサンバ・ベルを同じように配置して、ベースの音に同じように高い音を加えるのもよいでしょう(p.15写真参照)。

ドラムサークルをカラフルにする

ドラムサークルは、聴覚だけではなく、視覚を使う経験にもなります。色あざやかな楽しい楽器を使うことで、参加者が楽器におじけづかないですみますし、ドラムサークル自体がとてもすてきな様相をもつようになります。色つきの楽器には次のようなものがあります。

サウンド・シェイプ　平たく、丸い形状の*ネスティング・フラット・ドラムで、6色ある(www.remo.com参照)

ブーム・ワッカー　ピッチをつけたチューブで、いろいろな色がある(www.boomwhackers.com参照)

リズム・スティック　4色ある

6色ある色つきスカーフ　6色ある、踊る時にとても便利(www.aeIDEAS.com参照)

色つきスティック(ホット・スティック)とマレット
マレットをカラフルなシルクの布切れで巻きつけたもの。彩り豊かなショウを創るために活躍する

フルーツ・シェイカー
レモン、オレンジ、りんごなど、なんでもよい
(www.remo.com参照)

Remo

サウンド・シェイプを使ったドラムサークル　RMCにて

*nesting：入れ子式、重ねる

課題：リズムの万華鏡

レモ社のサウンド・シェイプを子どもたちのドラミングに使ってみると、リズムが万華鏡のように多彩で、普通のドラム・パレードが、実に見て楽しい大パフォーマンスになります。サウンド・シェイプの色(赤、黄、緑、青、紫、黒)に合わせた旗やスカーフを使って、６人に旗手になってもらいます。それぞれの旗の色と同じ色のサウンド・シェイプを持った子どもたちが、その旗手の後ろに並びます。そして、サークルの中央に置いたギャザリング・ドラムで強いリズムを叩いて、列の行進を促します。ビートが定着してきたら、行進の合図をして(私はいつもサンバ・ホイッスルを使う)他の色の列と混ざり合い、色とリズムの**万華鏡**を創ります。

アンビエント楽器

この楽器は、リズムにどうも自信がないとか、うまくビートに乗れないと感じている人に、簡単にうまくできたと感じさせてくれますし、ドラムサークルの音楽に**色彩**を加えてくれます。グルーヴを止めて、以下のような楽器のサウンドをフィーチュアすると、これらの美しい音を聞いてもらうというチャンスができますし、同時にドラムを叩いている人の手を休ませることもできます。

- スプリング・ドラムとサンダー・チューブ（雷の音）
- レイン・スティック（雨の音）
- オーシャン・ドラム（波の音）
- ベル
- ウィンド・チャイム（風の音）

Remo

アンビエント打楽器・パーカッション
オーシャン・ドラム、スプリング・ドラム、
サンダー・チューブ

ベルとホイッスル

ドラムの大きな音の中で、ファシリテーターの声はどうしたら聞こえるでしょうか？こういう時は、ベルやホイッスルの出番です。カウベルかサンバ・ホイッスルを使うか、ファシリテーターのドラムをまわりの音より大きく叩くことで、音楽上の指示が聞こえるようにします。音を大きくするだけでなく、他と違っていることも必要です。もしクラベスを持っているのがファシリテーターだけならば、それで指示すれば参加者は従ってくれるはずです。

私自身目立とうとする時には、よくファシリテーション用の道具は、いつも、次のものを使います。

- **竹笛、ファイフ、ペニー・ホイッスル**
  （私はグルーヴするリズムにメロディーをつけるのが、大好きです）
- **ソプラノ・サックス**
- **サンバ・ホイッスル**
- **予備マレット**

予備マレットを使う理由は以下のとうりです。

- 高齢で手が弱っている参加者のため
- マレットを使ってドラムを叩く方が簡単なので初心者用として
- ティンバレスやスネア・ドラムのように大きな音の出る楽器より、音をソフトにすることができるので
- 子ども用としてマレットを使うとドラミングが楽しくなるので

サンプル・キット

ファシリテーターのキットは、自分のグループとどのように向き合うかという姿勢を反映して、それぞれに異ったものになります。次ページに、私のトップ10リストを紹介します。(ファシリテーターの選択トップ10についてさらに知りたい人は、remo.com/drumcirclesのsuggested gear. 参照)

Helene Barbara

レモ社のレクリエーション·ミュージック·センターにある世界の打楽器を集めた棚

これ無しには生きていけない楽器リスト トップ10

1. **ベース·ドラム** スルド、ギャザリング·ドラム、またはタン·タン
2. **カウベル**（手持ちの）
3. **レイン·スティック**
4. **ネスティング·ドラム** フレーム·ドラムのようなもの、予備マレットを周りに
5. **ダンスに合わせるドラム** サウンド·シェイプまたはパドル·ドラム
6. **ジャンベ** 私は３種類の大きさの、フェスティバル·ジャンベが気に入っている
7. **タンブリン** ２つか３つ
8. **シェイカー** おとなしい人のため
9. **子ども用ドラムとマレット**
10. **横笛（いろいろあるのでどれでも）** アメリカ原住民のもの、ファイフ、ペニー·ホイッスル

ファシリテーションの技法

The Art of Facilication

Helene Barbara

「私がドラムをやるのには理由が３つあります。１つは友だちといっしょにいたいから、２つめは楽しいから、もう１つは、音楽のことを勉強したいから。」

ジョウニー・ハヤシ，教師

Facilitation：促進、円滑、助長、楽にすることの意。
容易にすること（メリアム・ウェブスター辞典より）

ドラムサークルのファシリテーター

ファシリテーターはドラムサークルの先生ではありません。グループの人たちを動かして、彼らが自分の体内に潜んでいるリズムに気づくように助言し、導いていく、コーチのような存在です。リズムのある音楽は、ごく自然に生まれてくるものです。すでにみんなが**知っている**ことを、わざわざ**教える**必要はないのです。リズムは、人が生まれながらにもっているものです。赤ちゃんには誰かが歩き方を教えるでしょうか？そういうことはないでしょう。もちろん、少しずつ自分の足で立ち上がって最初の一歩を踏み出すのに、サポートは必要です。ファシリテーターの仕事は、グループの人たちが何かぐらついてきて、救いの手を求めてきた時にサポートしてあげることです。

7つの基礎的なスキル

ドラムサークル・ファシリテーターのもつスキルを示すために、レモ社の*Health*RHYTHMS担当チームで、優れたファシリテーターが備えている基本的な要素を象徴するキャラクターを創りました。このキャラクターをミックと呼んでいます(Rhyth-MICKリズミックを縮めたミック)が、この2年の間に、私はこのミックといっしょに6ヵ国を回って、ファシリテーターの研修をしてきました。言葉は違っていても、誰もが、ミックが象徴する要素を理解できたようです。

道具入れのベルト
サークルを築くための音楽的にも個人的にも必須のツール

指揮棒
ボディ・ランゲージと明快な合図でグループを指揮する

懐中電灯
グループをリードするというよりはガイドすることを意味する。グループの心に光を当てるトーチ

大きなハート
あなたの思いやり、いつも心にかけていることを示す

大きな耳
自分が演奏するよりは聞いていること。グループから聞こえてくる音を基に、次の行動が決められる。聞こえてくるさまざまなアイディアを、音楽の中で注目し、引き立てる

色彩豊かなコート
サークルを元気づける特別な才能を示す
タップ・ダンスをしたり、サキソフォンを吹いたりと、ファシリテーションに多彩な色を出す。あなたもファシリテーションに自分の色をつけよう

即興ステップ
柔軟に、オープンに、当意即妙に。ダンスをするのは必須ではないが、即応できることは必須

Art by Bill Patterson

指揮することと合図すること

有名な指揮者で、元南カリフォルニア大学ソントン音楽学校の学部長であったラリー・リヴィングストーン博士は、あるインタビューで、優れた指揮法とはどのようなものかを尋ねられた時、それには2つのカギがあると答えました。(The Instrumentalist誌、レンツィーニ、1998年2月)

確信 - リーダーシップに欠かせないもの

本物志向 - リーダーが本物であれば、その指示することは本物になる

ドラムサークルを実施する時、身体を使うというのが一般的ですが、この他にもグループの指揮や合図にはいろいろなやり方があります。

- ファシリテーターの声
- ホイッスル(*サンバ・スクール、マーチング・バンド用)
- ファシリテーターのドラム(西アフリカのアンサンブル用)
- メロディー楽器
- 上記の組み合わせ

どんな方法を使うにしても、効果的な合図は以下のようにします。

はっきりと

参加者が見えてよくわかる、大きな合図。あなたの視野の死角に隠れる人がないように、合図をする時には、自分自身の身体を動かす

一貫している

混乱することのないように、1回のドラムサークルをとおして、1つの指示内容に対しては同じ合図を使う

カッコよく

ファシリテーションとは視覚に訴える仕事です。ビデオを見て、自分が意味のないことや、意図とは違うことを無意識にやっていないか、確認する

実際に使う合図

ボディ・キューは、ドラムサークルのグループに対して、自分の音楽的な意図を伝えるための、リズムのついた言葉のようなものです。合図のレパートリーは音階上の8つの音と同じで、これを使って無限にメロディーを創ることができるのです。

1. **ランブル**

   手を細かく振って、ドラム・ロールを示します。

Helene Barbara

静かにランブル

*samba school：ブラジルのサンバ・カーニヴァルでパレードをするために作ったクラブやチーム(エスコーラ・ヂ・サンバ)のことで、サンバの学校のことではない。大がかりなサンバ・チームの指揮者が使用する笛をサンバ・ホイッスルという。

2. ストップ／スタート

「*4、3、2、1、ストップ！*」と、カウント・ダウンを指で示します。開始の合図でリズムを示すためには、2まで数えて「*1、2、レディー、ゴー！*」とします。もしカウント・ダウンやアップがうまくいかない場合には、大きく、はっきりとストップ／カットをすればよいのです。(アーサー・ハル、1996年)ストップ／カットでは、野球のホーム・ベースで「セーフ」というような姿勢で身体を止めます。

Helene Barbara
ストップ

Helene Barbara
ストップ

3. 叩き続ける

腕をぐるぐる回します。続けてもらいたい人を示します。そしてサークルの半分の人に続けさせておいてから、もう半分にストップを指示します。こうすると、予期しない沈黙を防げます。

Helene Barbara
続けてぇ

Helene Barbara

静かに

Helene Barbara

だんだん大きく

4. 大きく／小さく

腕を高く上げれば大きく、低く下げれば小さくです(時には指を唇に当てて、グループを鎮めることもある)。このような合図の中間にある動きは、両極端の動きから推測してできます。この合図を使って、ファシリテーションのポーズからダンスを創ってもかまいません。

5. 速くしたり、遅くしたり

動き出したグルーヴのビートを身体や楽器で示して、その後だんだん速くしてテンポを上げます。ゆっくりにしていく方は、なかなか難しいものです。

6. ビートを強調したり、アクセントを強調する

基本ビートを示す方法はたくさんあります。足ぶみしたり、ロックしてみたり、踊ったり、揺れるビートを安定させるために、サークルの中央で腕を使って、基本になっているビートを視覚的に見せるだけでもかまいません。アクセント、つまり1拍を強調する場合、強拍だけ空中でドラムを叩く動作をする人もいれば、強調するビートに合わせてジャンプするというファシリテーターもいます。

Helene Barbara

パルスを手で叩く

Helene Barbara

パルスを踊る

7. **サークルを区分けする（スカルプト：アーサー・ハル使用（1998）の用語）**

続けるのか、大きくするのかなど今までに出てきた合図は、誰にやってもらうのか、ファシリテーター自身がはっきり頭において、出すことが大切です。グループ分けの境はどこなのか、「*パイを切る*」しぐさをするなど、きちんと指示するように、自分流のやり方を考えます。誰かを選んでやってもらう時には、前もって了解してもらうことを忘れないようにしましょう。

分け方は次のようにしましょう。

- ドラムサークル全体
- グループの一部
- 同じ楽器、または木の楽器だけ
- 誰か１人

Helene Barbara

シェイカーの指示

Helene Barbara

グループへの指示

Helene Barbara

１人を指名

8. 耳に手をあてる

この合図は、グループの人がお互いの音を聞き合うようになるので、私自身とても気に入っています。誰か1人が、ティンバー・グループをもっている人たちを指さしながらこの合図をすると、このグループの全員が自分自身の出している音に注意して、バランスを直そうとしてくれます。ファシリテーターが手を耳にかぶせて、聞きたいというしぐさをして、他の人の音に合わせることの大切さを身体で示すと、自然にボリュームは小さくなるものです。

9. コール・アンド・レスポンス(呼びかけと応答)

自分を指差して、それからグループを指差し、私が叩くあなたが叩く、というようにリズムで交歓する、という形を見せます。

10. ナイス・ジョブ(ばっちり)

いちばん大切な合図に、**ウェイ・トゥ・ゴー**(ばっちり)があります。にっこり笑って、親指を立てる、というしぐさでサークル全体を励まして自信をもたせ、認めてあげることです。あなた自身の**ばっちり**合図を考えましょう。

車輪をつかむ

音楽の方向を変えるためにサークルの中にいつ飛び込むかを決めるのには、簡単な法則があります。**車輪をつかむ**タイミングを感じるのと似ていますが、サークルがコントロールを失っていたり、グルーヴがぐらついていたら、ファシリテーターの道具ベルトを使って、軌道修正して道の上に戻すようにしましょう。

時にはファシリテーションの必要がないこともあります。そんな時はリラックスして、ジャム・セッションを楽しんでしまいましょう。結局は、ドラムサークルはあなたのためのものではなく、参加者のものなんですから。いつファシリテートするのかと同じように、いつ**しないか**を判断するのも大切なことなのです。

合図に合図する

もしファシリテーターの合図があいまいだったり、あるいは、グループがどうなっていくのか、ファシリテーター自身がわからなくなったら、いったいどうなると思いますか？グループは混乱してしまいます。楽しさは半減してしまい、*「私、いったい何をしたらいいのかしら？」*、と不安が膨らんでいきます。常に目の前にいる参加者の顔を見て、自分のファシリテーションがうまくいっているかどうかを判断しましょう。

Helene Barbara

合図に合図する

合図でまごまごするのを防ぐには、ダウンビートの**アンド**(拍のウラ)に準備の拍を作ることです。げんこつパンチを食らわせる前にワインド・アップするように、ちょっと合図の前に用意のシグナルが必要です。音楽的な方向転換をするには、ちょうど車の運転のように、ち少し前に曲るというウィンカーを出すのと同じです。

自分のスタイルを創る

同じ楽器でも２人の人が演奏すると、それぞれが異なるサウンドになるように、２人のファシリテーターがまったく同じドラムサークルをやるということはありません。ファシリテーションは、人の本質を拡大して見せるものですから、あなたが自分らしさを発揮できるように、自分自身のスタイルを創ってほしいのです。ここに示した課題で、自分自身の合図を発展させてみましょう。

課題：鏡に映すリハーサル

鏡の前で眼を閉じて、ゆったり立ちます。あなたは咽頭炎で声がでないのに、大きなグループにストップ！と言わなければならない、そんな状況を想像しましょう。３つ数えて、そのストップ・ポーズをとります。次に眼を開けて、ポーズを見て、自分の身体が何を伝えようとしているかをよく見てみます。そして、初めのゆったりした姿勢に戻ります。

今度は、今まさにシンフォニーの演奏を終わろうとしている指揮者を考えます。大拍手をもらう直前の、エンディングを想像しましょう。考えないで、そのポーズをしてみます。そして鏡の中の自分のポーズを見て、身体が何を伝えているか、よく見て、そしてまた初めの姿勢に戻ります。

次に、今までの２つの合図が、グループ全体が見えるくらいに大きく力のあるものだったかどうか、よく考えてみましょう。CDで、リズムのグルーヴが特によい曲をかけながら、模擬ファシリテーションをしてみる実験を、くり返しやってみます。 CDトラック3

メロディーを使ったファシリテーション

メロディーは、強力なパルスとリズムのグルーヴを、瞬時に創ることができます。私はファシリテーションする時に、ソプラノ・サックスやアイリッシュ縦笛、竹笛、自分の声やコロニアル・パイプも使います。このやり方は、世界中のさまざまな文化圏の音楽に見られる、古代から引き継がれた笛と太鼓の組み合わせにたち帰るという意味がありますが、以前私は、すばらしいバグパイプ奏者が、200人のグループをファシリテートしたシーンを、アフリカン・ケルト系の記録で見たことがあります。

メロディーは、合図のアクセントや他の打楽器に合わせて組みたてることができます。CDトラック7。楽器を持っているために身体で合図しなければならないので、足で示したり、楽器を振ってみたり、どうして欲しいのかをメロディーを使うだけで示すこともできます。

Helene Barbara
吹きながら合図する

10の役立つヒント

1. **ボリュームはなるべく下げる**
   ファシリテーターであるあなたが使う楽器をグループに見せる前に、まずドラムサークルの音を止めて、メロディーが聞こえる状態にすることです。こうすると、あなたが楽器を手に取った時はいつも静かに叩くんだ、という習慣が自然についてきます。

2. **よく知っている歌を使う**
   参加者の誰もがよく知っている曲を選びます。これなら叩く人が、ソロをやるのか、アクセントをつけるのかがわかり、指示がなくても自分でできます。特に自分の好きな曲がはっきりしている高齢者にはうまくいくはずです。

3. **即興で曲を創る**
   参加者が即興で創るので、あなたがやっていけないわけはありません。*ペンタトニック・スケールを使って簡単に創れます。メロディーに1音か2音のアクセントを意図的に入れる**リズム・ヒット**のメロディーを創りましょう。

4. **くり返す**
   ステキなメロディーができたら、それを何度もくり返すことです。あなたの出す合図のように、それを聞いたら何をするかがすぐわかるようになって、グループの創造力を引き出せるでしょう。

*pentatonic scale：1オクターヴの中の5つの音で構成されるスケール(5音音階)のこと。
ドラムサークルで5つのスケール音をいっしょに出しても不協和にならないため

5. **余裕は残しておく**
   メロディーとリズムのかけ合いを入れられるようにすることが大切です。

6. **コール･アンド･レスポンス**
   グループのメンバー同志で対話をしたり、あなたが創るメロディーとサークル全体、というやり方もできます。ドラム･テクニックに装飾的なもの(例えば、トリル＝ランブル)を入れると楽しくなります。

7. **新しい音階を導入する**
   エジプト音階を使ってみましょう。D - E♭ - F♯ - G - A - B♭ - C♯ - D を使ってリズムがどのように変っていくか、よく聴いてみます。

8. **デュエットをやってみる**
   誰か１人に続けてもらって、他の人たちには静かに叩いてもらいます。リズムを止めて、メロディーを変え、そこから方向転換をします。

9. **ソロをとる**
   ソロ楽器とドラムサークル全体とを交替でやります。A-B-A形式を使うと、大きなスケールのやりとりができます。例えば、Aドラムサークル、Bサクソフォンのソロ、Aドラムサークル、Bサクソフォンとタンブリン全員、などのようにすると、ずっと叩いている手や耳を休ませることもできます。

10. **ドラム･パターンを反射させる**
    誰かの叩いたリズムのパターンに注目して、あなたがそれに音をつけてメロディーを創ります。

ファシリテーションに関する警告

ドラムサークルのファシリテーションを勉強しても、音楽療法士になれるわけではありません。例えば、病院や医療施設の中でドラムサークルを実施する場合でも同じです。**ドラム･セラピー**(療法)とか**リズム･セラピー**という言い方はお奨めできません。その理由は、このような表現は一般の人たちが混乱しますし、ドラムサークルのファシリテーションにはプロになるための履修課程があるのか、という印象を与えかねないからです。もしあなたが、ある特定の人たちや医療施設でドラムサークルをしたいのであれば、音楽療法士と組んでファシリテーションをすることです。(例えば、レモ社の*Health*RHYTHMSの週末研修に参加して、より豊富な知識を身につけるなどしてみることをお勧めします。
詳しくは、www.music-therapy.org　または www.remo.com/health/を参照)

アレンジすること、アレンジし直すこと
Arranging & Re-Arranging

Helene Barbara

「私たちはとても若い家族なんですが、音楽と、コミュニティーに参加したくて来ています。子どもといっしょに、ドラムサークルの信じられないようなリズムに乗って踊っているだけで、活力をもらえるんです」

ジェニファー・スコット－リフランド、造園業
ノア・リフトランド、家具デザイナー
ケリンおよびルチア・リフトランド

Arrange：アレンジ、編曲するの意。
求める最高の効果を得るために結びつけること（メリアム・ウェブスター辞典より）

アレンジには、バンドやオーケストラのいろいろな声部を選んだり、音楽の筋道を示す全体図を描くことが必要になってきます。アレンジャーとは、例えば、ストリング・セクションとか、長いメロディーの主題(テーマ)といった大きな道具を扱って、大きな絵を構想する人です。単に作曲をするのとは異なる特定の任務、つまり、主題を取り出し各声部のパターンを創り、バランスのよい、美的にも優れた、大きな主題の絵を創り出す役割を担っているのです。

ドラムサークルにおけるアレンジとは、ねらった効果を得るために、ファシリテーターがドラムサークルのフォームを決める方法を意味します。これは事前にプランを作っておくことができません。実際にファシリテーターは最高レベルの即興アレンジをしていることになります。ドラムサークルに参加している人たちが即興で叩いているわけですから、ファシリテーターも、ドラムのジャム・セッションの中から、音楽にかかわる要素、人間にかかわる要素を引き出して、即興で動かしているということです。

シンプルであることがアレンジのカギです。たった1つの要素、例えば、ダイナミクス(強弱)だけで(大きくしたり、小さくしたり、ほとんどはその中間ですが)くり返しと変奏(ヴァリエーション)を用いることで、すばらしいアレンジを創ることができるのです。

さまざまなジャンルのアレンジを聴いてみましょう。管弦楽の形式には、主題と変奏、前奏曲(プレリュード)と管弦楽の形式、アダージオやアレグロ、などがあります。ポピュラー音楽の形式では、ヴァース、コーラス、ブリッジ(さび)があり、神聖な音楽の形式には応答頌歌集やコール・アンド・レスポンス、カントールなどがあります。いろいろ聴いておくと、ドラムサークルの合図(キュー)として、あなた独自のやり方ができてくるでしょう。

曲の構成をする

ドラムサークルは、固有のアート・フォームのひとつですが、つぎつぎと新しく生まれてくる曲を支えるには、ファシリテーション(誘導)が必要になります。そこでファシリテーターは、標準的な形式や合図のレパートリーの中から瞬時に選んで即興をするわけです。

形　式	内　容	実　施　例
A-B-A	A-B-A形式の典型的な例は、ヴァース-コーラス-ヴァース このアレンジ法では初めも終りも同じ(巻末の課題を参照)	ファシリテーターがベース・ドラムだけで始めるA。リズムのグルーヴができたら、全員に参加してもらうB。そろそろジャムをやめようとする時には、ファシリテーターの合図でベース・ドラムだけ残して止める。ベース・ドラムは始めた時のパターンを続けるA
くり返し／オスティナート	フレーズを**輪**にする **オスティナート**のようにくり返すパターンはアレンジの最も重要な要素	一部の人に4拍子のパターンを叩いてもらい、他の人は好きなように叩いてジャムをする。そこでファシリテーターが一部の人を止めて、全員がジャムをする中で今までやってきたパターンのオスティナートを3拍めから始める
主題と変奏	これはオスティナートの一歩進んだもの。 ここではオスティナートが主題をくり返すごとに変奏される	ダイナミックスに変化をつけて、8カウント毎に大きくしていき、次の8カウントで小さくする。ジャムを少し続けた後、サークルの半分に大きくしたり小さくしたりをくり返して叩かせる。しばらくジャムをやってから、今度はサークルの1/4に強弱のくり返しをやらせる

*cartor：カルトル(ラテン語)教会で合唱を先導する独唱部分を歌う先唱者 およびその形式(一種のコール＆リスポンス)

形　式	内　容	実　施　例
輪唱(輪打)	1つのフレーズを使って、サークルの中で別々のタイミングで歌い始める	バリー・バーンスタインとロリ・フィティアンが、みんながよく知っている**ロウ・ロウ・ロウ・ユア・ボート**を使って，サークルを4つに分けてやったのを見たことがある。しかも、この曲のリズムだけを輪唱(打)するという発想で
コール・アンド・レスポンス CDトラック6	1人があるパターンを叩き、全員がこだまのように返す	ファシリテーターが、ベルで4拍子のパターンを打ち、全員に同じパターンを打ち返すよう指示する
QアンドA	2人または2つのグループの間で叩きながら、交替で対話する	ファシリテーターが、サークルの対角線上に居る人同士でペアを作り、最初の人が**質問**を打ち、サークルの反対側にいる人が**応え**を叩く。これはグループ全体でも、メンバー同士の対話としても実施できる
レイヤー・イン レイヤー・アウト	まず1人で始めて、1人ずつ加えていく。その反対をする。これはファシリテーターの集中力のためのゲームになるので注意	ファシリテーターが、ベース・ドラムを叩く人を決めて始めてもらう。この人が誰かに向かってうなづいたら、その人が参加する。このようにして、全員がジャムに加わる。こんどは反対に1人ずつ減らしていって終る。(サークルをぐるっと周って1人ずつやるとやりやすい)
スカルプト	1人または一部の人に続けてもらい、他の人は叩かない	ファシリテーターが、タンブリンの人だけ続けてと言い他の人を4－3－2－1と数えてストップさせて、タンブリンの音を聞かせる。その後、ファシリテーターが合図、またはカウントして他の人たちを戻し入れる
自然の形式	楽器を使って、サウンド・エフェクトのように、なにか自然の音をまねする。	雨のまねをしてみる。ファシリテーターが指示してドラムをこすって風の音を出す。その後、ドラムを軽く叩いて雨のしずくの音に変える。さらにドラムを両手で叩き大雨にしたら、雷(シンバルやサンダー・チューブ、ベース・ドラム・ブームで)も加える。後はこの反対をやって終る
物語りの形式	曲の形式を決めるのに、物語りを使う	ファシリテーターが物語りを創る。私は、ジョセフ・キャンビルが**まるでマジックのドラミング**で語ったモーゴン・カラのお話しが好きです(ハート、1990年)

課題：ブック･エンディング
次のドラムサークルの時、はっきりした音楽の内容で始めて、それと同じ内容で終ってみましょう。このようなやり方を**ブック･エンディング**と呼びます。これは何でも１つにぎゅっとまとめてしまうブック･エンドから発想したハリウッド用語ですが、初めと終わりを示すというものです。このアレンジ･ツールは、ドラミングが輪になっていることを意識させるものです。

アレンジのツール

ドラムサークルには人と音楽の２つの要素があり、アレンジの基本ツールになります。

音楽的要素

ダイナミクス(強弱)
楽器グループ(ティンバー)
テンポ
拍子
沈黙

人間的要素

呼吸
ボディ･パーカッション
ヴォーカル･パーカッション
年齢や性別によるグループ分け
テーマ別のグループ分け、例えば、すべての１月生まれの人、ペディキュアをしてる人など

アレンジの基本原則

反対の法則

みんなに静かに叩いてほしいと思ったら、まず大きく叩くように合図します。グループにファシリテーションの合図をしても上手くいかない時には、このような反対のやり方を試してみましょう。これは心理の逆用でアレンジするわけですが、例えば、誰かに注意を向けてほしい時には、その人にささやいてみることです。

裏返しの法則

どんなファシリテーションも、逆からもできます。例えば、ゆっくりボリュームを上げていこうとするなら、次の時はボリュームを下げてみます。これだけで、あなたのレパートリーは2つになります。

コントラストの法則

ドラマってほんとうにおもしろいです。良いドラマにはかならずヒーローと悪役がいるものです。そこでドラムサークルで、コントラストのあるドラマを創ってみます。サークルの半分が速いランブルをやっている間に、残り半分はゆっくり叩きます。ベース・ドラムの大きなランブルに、シェイカーのランブルが続くことで、みんながドラムサークルの音にどういう特徴があるかに気がつきます。

くり返しの法則

何度もくり返し叩いたフレーズは、次のステップに発展したり変化したりするまで、長いこと身体に残っているものです。確かに理論的にはくり返しは重要ですが、みんなが飽きてしまわないようタイミングをよく見て、アレンジを盛り上げていくことが必要です。

構成の原則

柔軟性は、きちんとした構成があって初めて許されるものです。創造の自由のために**構成はいらない**という神話があります。もしあなたが、何も形式や基礎を知らないのに「なんでもいいからやって」と言われたら、たいへんだと思うでしょう。こわがらないで、ドラムサークルの音楽にきちんとした構成を作りましょう。その方が、参加者を発想豊かにしてあげられるものです。

ベース作りの法則

アイディアを思いつくのは簡単ですが、それを具体的に形にするのには時間がかかります。ドラムサークルの音楽をアレンジするには、時間をかけて、それぞれのステップを自分が十分納得して進めていくようにしましょう。アレンジの要素一つひとつを、リズムのグルーヴにきちんとマッチさせてから、次のアレンジ要素に進むことです。

課題：地平線の拡大
ドラムサークルの30分間、例えば、ダイナミックスなど、同じ合図だけに限ってみます。実際たった1つの合図で30分ずっと続けられます。このように、時間に合わせるアレンジのアイディアをいろいろ試して、創造力、即興力を豊かに広げていくとよいでしょう。音楽をもっと生き生きした、伸びやかなものにしたいという願望が、自分のオリジナリティや創造力を高めたいというさらなる欲求につながります。

サウンド・スケイプ

もしあなたがドラマーかミュージシャンだとしたら、ドラムサークルが成功したかどうかを、ビートに乗っていられるかどうかで測ってしまうかもしれません。**ビート**がなかったらどうなるっていうわけですか？動いているリズムの中でドラムサークルをやるという基本理念を排除したら、どうなるというのでしょうか？それでも音楽になりますか？

ビートがいらない、新しいドラムサークル技法の世界にようこそ！ビートではなく、中身と響き、コントラストや色彩を大切にしましょう。音のある詩とでも言いましょうか、このアレンジ法は**サウンドスケイプ**と呼ばれるものです。ちょうど景色が、視覚的に広がったパノラマであるように、このサウンドスケイプは、音の雰囲気、効果、微妙な要素を取る音響平面といえるものです。 CDトラック5

美しい画材、例えば、くり返しとか、コントラストを使ってファシリテーターは画家になって、楽器や参加している人たちから出てくる音のパレットの上で、音楽を創り出すというわけです。

課題：コントラストのやりとり
サークルの反対側にいるメンバー同士で、お互いに楽器を対比し合うというやりとりを、リズムをつけずにやってもらう、というサウンド・スケイプをやってみます。初めは、あなたが指示を出さなくてはならないですが、あるパターンができあがったら、彼ら自身で対話を続けて、解決にもっていけるようになります。対話するペアが交替する度に、全員がランブルするようにしてもよいでしょう。

ファシリテーションの新しい合図

音	ファシリテーションの合図
ランブル(ドラム・ロール)	親指から小指まで、手全体を振る
ドラム・ラブ	空中で丸を書くように手をこする
サウンド・スプラッシュ(バシャーン)	手をパンと打つ
ブーム(ドカーン)	腕を強く突き出す - かならずアップビートで合図する
ラップ(コツコツ)	ドラムの外側を手で叩くまねをする

音のパレット

人の声	息、あくび、せき、やじ、悲鳴、応援、スキャット、笑い、うなり、祈り、しゃべり
身体を叩く	はじく、手を叩く、こする、ひざを叩く、頭を叩く、おなか太鼓(ボディ・パーカッションを使ったカード遊びBody Beat™、をチェック www.ubdrumcircles.com.)
ドラムの音	ドーン、ドロドロ、ガシャーン、こする音、引っかく音、シェルを叩く音
効果音とパーカッションの音	背景になる音を創る楽器(レイン・スティック - 雨の音、オーシャン・ドラム、サンダー・チューブ、スプリング・ドラム)

実践例

ドラムサークルの興奮は一晩中強烈に残ります。そのため大きなエンディングで終わる必要があります。「*4－3－2－1、ストーップ!*」そして静寂。レイン・スティックで合図すると、そのステキな音を聞いて感動し、全員が止まります。他のメンバーには風の音を創るようにドラムをこする指示をします。そして、ベース・ドラムで3つ大きく叩いてもらい、その後ベルで1つ、余韻を残した音を出します。このベース・ドラムとベルのやりとりを、合図を出さなくてもできるまで続けます。対話のパターンに自然に従って、お互いに反応するスピードも速くすることができます。最終的にドラムで大きな音でランブルして、力強くストップをします。そしてもう一度、レイン・ストックを中心に(ブック・エンディング) して、そして「*1－2－*」でグルーヴに戻ります。

教えない指導
Teaching without Teaching

「ドラムのおかげで、私は、自分の頭脳を今までと違う高さにもっていけることを学びました。とってもパワフルな先生ですよ。ドラムを叩きながら考えていると、すうっと昇っていかれるんです」

グレン・シェルトン、演奏家

Teach：教える、悟らせる、仕込むの意。
先見と、先例と、経験によって、指導すること（メリアム－ウェブスター辞典より）

ドラムサークルでは、基本的なドラムの叩き方を示しますが、参加者が実際に叩くことを不安に感じないようにするには、かなりの熟練が求められます。***Teaching without teaching（教えることなく教える）**というアーサリアン用語を考案したアーサー・ハルは、正にこの技法のマスターです。大切なことは、ドラミングの基本的な手法を習得してもらうのに、決して参加者にプレッシャーを与えないことが大切です。

基本の叩き方を修得することは、ドラムサークル参加者が無用なケガをすることを防ぎ、同時にレパートリーを増やしていくためにも、絶対必要です。これはヨガをやる時、正しい**姿勢**がカギ、というのと同じです。

*Teaching without teaching：アーサリアン・ドラムサークルの基本的概念のひとつ

Helene Barbara
正しいテクニック

予防のために

よく、ドラムサークルは薬よりも効果的だと言われますが、それは副作用がないからでしょう。ところが、ファシリテーターがドラムの叩き方について事前に説明しておかないと、後から、ケガをしたとか、あざができたなどと言われることがあります。これは避けられるはずです。翌日になって問題があったと報告されたり、クレームの電話がかかったりしないように、いくつか基本のルールを知っておくことが肝心です。

- **手、手首、腕を伸ばす運動を短めにやる**
- **肩の力をぬくように注意する**
- **指輪やブレスレットをはずしてもらう**
  指輪が抜けない時のために、被せる絆創膏を用意する
- **ドラムの叩き方を見せる**
  ドラムを叩く時のはずむ感じを強調し、トランポリンのジャンプやバスケット・ボールのドリブルのように、ドラムに軽く手をはずませてから、離すように指導する

- 手を正しい形に保つ

  初心者がよく間違うのは、手首からドラムを叩こうとしてしまうこと。マレットを持って、次に前腕を上げ、自分の手でマレットを作るようにして、手首ではなく肘を支点に感じるようにアドヴァイスする。ただし、もう少し微妙なフレーム・ドラムのテクニックや、スラップや、ジェンベやコンガのように、レベルの高いドラムの音を出す場合は例外

- マレットを正しく使う

  鉛筆やフォークの持ち方ではなく、手全体で包み込むように正しく持つこと。マレットでも、ドラムの面を離れる時ははずむようにするのが正解

- ドラムを正しく持つ

  良い音を出すためには、ドラムの底が床から離れていることが大切

Gabore Ekecs

- 騒音を管理する

  ひとつの場所でみんながドラムを叩くので、それなりのルールが必要になる。例えば、**誰かの耳の近くでベルを大きな音で叩かない**など。**騒音取り締まり官**にならないように、参加者にデシベル(dB)のレベルについて意識をもってもらうこと

ハンド・ドラミングの基本

ファシリテーターがドラム指導に精通している必要はありませんが、少なくともハンド・ドラミングの基本になるトーンは知っておく必要があります。またリズム感も磨いておくことが大切です。リズム感は自然の本能で、例えば、自分の好きな音楽に合わせてエアロビックスやダンスをすると、ビートに合わせて足が床を叩いている、それです。ビートに合わせてステップを踏まないと、何かもの足りないと感じるでしょう。自分自身の音楽表現としても、ファシリテーションの中でも、リズム感を磨きましょう。そうすればドラムサークルはもっとうまくいきます。

ドラムのベース・トーンとオープン・トーンをはっきり区別する練習をしましょう。ベース・トーンはドラム・ヘッドの中心を手全体を使って叩きます。

ベース・トーン

オープン・トーン

オープンは少し高度なテクニックですが、ドラム・ヘッドのエッジ(端)に斜めに手を当てて、はねるような高い音を出します。さらにスラップ・サウンドもできるようになるとよいですね。あなたのドラミング・テクニックを伸ばしてくれる、すばらしい*素材はたくさん出版されていますから、自分で探してみましょう。

* エンハンスドCD付 **世界のパーカッション・ガイド ドラムサークル**(ATN刊)は奏法の向上の参考になる。(巻末広告参照)

教えない指導法の５つのやり方

レモ・レクリエーション・ミュージック・センターの調査によると、一般にドラムのレッスンを受ける人は、20％の時間はレッスンでもよいけれども、大部分（80％くらい）の時間は、レクリエーションとしてドラミングをやりたいと思っている、ということです。これを80/20の法則とでも呼びましょうか。レクリエーションとしてドラムを叩く初心者が不安を感じることのないように、ドラムサークルに指導の要素を織り込む５つの方法を、以下に示します。

1. コール・アンド・レスポンス

これは次のような大切な要素を見せてくれる、大変優れた方法です。

(a) リズム・パターン
(b) ドラムの音の高さの違い
(c) ドラム・ヘッドをこするというような、これまでになかった音
(d) ダイナミクス

CDトラック5

2. 比喩的な指導

比喩的な表現を使ってドラミングのやり方を見せることで、楽しくやってもらうことができます。例えば、私はよく、フレーム・ドラムを教える時に、ヌビア人作曲家、ハムジン・エル・ディンの創ったシステムを使ったのですが、それには５つの要素が象徴として使われています。

(a) **土** - ベース・トーン（ドラムの中央で手をはずませる）
(b) **火** - オープン・トーン（ドラムのエッジで手をはずませる）
(c) **水** - ベース・ドラムを抑えて（手をドラムの中央に乗せてそのまま置いておく、あたかも雨のしずくが地面に落ちて、吸いこまれていくように）
(d) **空気** - ドラムをこする（ドラム・ヘッドを手や、指、爪でこする、速くしたり遅くしたり）
e）**精神** - 静寂（休み）

3. 言ってから叩く！

さまざまな伝統を受継ぐ偉大なドラム指導者たち、例えば、グレン・ヴェレス（ドゥム、タック、カー）、ババトゥンデ・オラトゥンジ（グーン、ドゥーン、ゴ、ダ、パ、タ）は、それぞれの文化を象徴する伝承法でドラムの指導をしています。生徒に、ドラムの言葉を言わせたり、歌わせたりして、さまざまな音色やパターンを教えたのです。ドラムを触る前に、ドラムのサウンドやパターンを身体で感じてから叩いたら、すぐにできるようになりました。どんなフレーズでもかまいません。あるフレーズや誰かの名前を、リズム・パターンにしてみましょう。結局のところ、言語というのはとてもリズミカルなものなのです。

4. **パートを交替する**

ドラムサークルでは、簡単なリズム・パターンが、何か少し補足するだけで、思いがけなく生きてくることがあります。ある部分を教えたり見せたりしているうちに、突然グループ全体でうまくいってしまうこともあります。ですから、目の前のグループをよく見て、いつ音楽を変えたらよいのか、または自由に創ってもらえばよいか、タイミングをよく見計らうことです。

5. **ゲームをする**

遊び心を喚起してくれるのは、ゲームです。例えば、**サイモン・セッズ**や**フォロー・ザ・リーダー**などの曲の中でベース・トーンがどうなっているかを見せてあげてもよいでしょう。

ファシリテーターの信条

あなたはファシリテーターの一員になるわけですから、指導したり演奏したりすることに関連して、陥りやすい落とし穴に落ちないように、まず、厳粛に宣誓をしなくてはなりません。

私は、差別的な用語は使いません

ほんとうのドラマーとか、**真の**音楽家というような言葉は、レクリエーションとしてドラムを楽しく叩いている人たちに、自分たちは価値がないと言われているような印象を与えます。

私は、音楽の良し悪しで結果を判断しません

そうではなく、どれだけ笑顔や笑いがそこにあるか、ドラムサークルに参加している人たちの顔に注目しましょう。

私は、グループの人たちを聴衆として扱いません

ドラムサークルをファシリテートしていると、サークルをぐるぐる回ることに慣れてきてしまいます。まるであなたの演奏を聴きに来た聴衆を見るように、1ヶ所だけを向いてしまうのがくせにならないように注意しましょう。

私は、みせびらかしたりしません

ファシリテーターのドラミングがあまりすばらしいと、レクリエーションとして楽しくやっている人たちが気後れしてしまうことがあるかもしれません。あなたの才能を、ドラムサークルを楽しい自己表現の場にするためにこそ活用しましょう。

私は、名声をひとりじめにしたりしません

ドラムサークルのすばらしいマジックができる人、として見られるのは簡単です。こういうスターダムはまことに気持ちのよいものです。しかし、ほんとうの名声はサークルそのものにあるのです。それを参加している人たちに知ってもらうことで、その人たちが自信をもち、ドラムを続けたいという気持ちをいつまでももち続けることができるはずです。

グルーヴするためのルール

Rules to Groove By

Helene Barbara

「いつまでも忘れられない経験、そこにリズムとエネルギーを感じています。ほんとに信じられないです」

マーティン・オルテガ、科学工場品質管理官

Groove：トップ・フォーム、最高の形(イン・ザ・グルーヴ)、明らかに楽しいリズム

（メリアム・ウェブスター辞典より）

グルーヴの目指すところは、何かにはまってしまう**ポケット**を創ることです。つまり、ドラムを叩いていて、いっしょうけんめいにならなくてもうまくいったり、グループ全体の動きに乗っているなと感じた時、それが正にリズムの**ポケット**です。ポケット創りを妨げることがあるとすれば、それは考えすぎることです。**グルーヴ**するには、ともかくやってみる、**考えるより感じる**こと、が必要です。グルーヴこそドラムサークルが目指すところで、そこまできて初めて、参加者がほんとうに深いつながりを感じる瞬間になり得るのです。

*groove：音楽を心地よく、リズミックに演奏することの意。ミュージシャンのグループがグルーヴしている時、全員が同じリズムのフィーリングにしっかりと乗っていること。俗にノリとも言われている。

グルーヴするためのルール

以下は、リズムを始める時にカギとなるいくつかの原則です。

1. **自分のグルーヴを初めに創っておく**
   あなたがまず体内リズムをよく知って、そのリズムを打楽器で即興的に表現できることが大切です。 CDトラック1, 2, 3

2. **自分のグルーヴのレパートリーを創る**
   2拍子系リズムのグルーヴを用意しておきます。2/4拍子や4/4拍子は初心者にも簡単に叩けます。それは歩く時のリズムで、私たちは長年このリズムを身体で経験しているからです。 CDトラック1

3. **6/8拍子を怖がらない**
   ロンドン橋やイツィー・ビツィー・スパイダーなど、おなじみの子どもの歌には、3拍子系(3/4、6/8、8/12)の曲がたくさんあります。モダン・ダンスの教室でも、3拍子のグルーヴは揺れるような感じを創るので、6/8で動くことがよくあります。また、4/4や2拍子系ではどうしてもテンポが速くなっていきますが、この拍子ではテンポが保てます。 CDトラック2

4. **CDをかける**
   参加者たちが集まる時に、世界の音楽でドライヴするリズムのCDをかけましょう。彼らは、その音楽が鳴っている間、聞こえてくるリズムに合わせて自然に叩いているはずです。特に小さいグループの場合、CDを使うと新しい参加者との一体感ができると思います。 CDトラック1, 2, 3

5. **グルーヴしながら歌う**
   ファシリテーターが歌ってもよいし、メロディー楽器を使ってもよいですが、参加者たちが知っている歌なら、グルーヴは生まれやすくなるでしょう。例えば、以下のようにしましょう。
   - I' m Gonna Tell You How It's Gonna Be
     クラベスのパターンで続ける
   - Joy to the World
     *「ジェレマイアはブルフロッグだった」*で始まって、そこにリズムのアクセントをつける
   - The Lion Sleeps Tonight
     6/8にいく準備をする。その場でジャングルができたり、動物の声が聞こえたりするかもしれない

6. パルスか、パターンから始める

*ストレート4分音符を叩くと、アメリカン・インディアンのようなリズムになります。またこれは誰でも基本的なパルスにあてはめることができる、簡単で気持ちのよいやり方です。一歩進んで、さらにシンコペーションした、パルスのヴァリエーションをやってみます。1小節だけシンコペートしたフレーズでもパターンを作ることができて、それから順々に積み重ねていかれます。

7. ドラムで歌詞を表現する

長期ケア・センターでグルーヴをしかけるカギは、誰もが知っている歌の歌詞をドラムで叩かせることです。例えば、線路は続くよという曲で、リズム・パターンをくり返し叩くとオスティナートが創れます。

8. 心臓の鼓動

「ドク、ドク、ドク、ドク」という心臓の鼓動のリズムを使うのが好きな人はたくさんいます。このリズムを使って、1拍だけ空白を作る(つまりドク-ドク-休み、ドク-ドク-休み)と、3/4になりますし、2拍スペースを作れば4/4(ドク、ドク、休み、休み)ができます。バリー・ビットマン教授は、モニターを使って心拍を増幅し、そこに潜在するリズムに着目しました。そして、それを実際に聞かせた後、全員でその人の心拍リズムを基にして大ジャム・セッションを煽動したんです。

* CDトラック1, 2, 7 ストレート・パルスから始める　CDトラック3, 6 パターンから始める

*straight four：まったく同じ長さの4分音符のこと。イーヴン4分とも呼ばれる。

グルーヴの管理

グループ全体がポケットを見つけられるようにもっていくことは、ファシリテーターの大切な役割です。ビートがうまく続いていくようになっても、それをどうやって保持していくか、という問題がでてきます。音楽の流れを弱めることなく進めていくためのヒントです。

- **何人かのメンバーにバック・ビートを打ってもらう**
  その場合、シェイカーやタンブリンやシェケレを使う

- **パルスを強めて１拍めを強調する**

- **４拍の間打つのをやめて、それからまた打ち始める**
  こうすると、常に身体の中でリズムを感じて、また打ち始めた時にはすぐに、よりよいグルーヴになっているはず

- **ボリュームを下げて、それぞれが他の人の音を聞けるようにする**
  静かに叩くことで、いつもグルーヴが確かなものになる

- **目を閉じる**
  リラックスさせることができて、エントレインメント(同調)がやりやすくなる

- **叩きながら口に出して言う**
  「アーハー」などの言葉を使って、グルーヴがそろうようにする

- **グルーヴに合わせて手を叩く**
  ベース・ドラムを続けてもらい、他の全員に、２拍め、４拍めで手を打ってもらう

- **グルーヴを変える**
  時にはグルーヴそのものがうまくいかないこともある。どのタイミングで割りこんで止めるか、ベース・ドラムに乗せた新しいグルーヴをどううまく創るかをつかんでおく

グルーヴを壊す人

上記のことを考えながらいっしょうけんめいやっていても、ドラムサークルをぶちこわすカギが潜んでいることがあります。そんな**グルーヴの壊し屋**には、あなたが責任をもって方向転換し、グループ全体で経験していることに意識を向けさせる必要があります。ドラムサークルはいつも創造の自由を尊重していますが、**何でもあり**の状態を容認するファシリテーションには賛成できません。私自身は経験的に、グループ全体をよく観察し、全体の反応を考えるようにしています。誰かのせいでグループが不快な思いをしたり、集中できなくなったような場合には、あなたが調整しなくてはなりません。でもどうやって？柔道のように考えるとよいでしょう。力に向かって力で押し戻したりしないで、その力に違った役割を与えて、うまくドラムサークルに取り込んでしまうことです。

壊しや	対　策
目立ちたがり	こういう人には注目される時間をあげて、誉める。例えば、ベース・ドラムを叩いてもらう、というような大切な役割を与える。こういう人は、リズムをつくる時にキーになってくれるかもしれないし、頭痛の種にもなり得る
うつむきで叩いているのに気がつかない人	名指しで指摘したりしないで、サークルの全員に、**頭を上げて**、サークルの中に居る誰かを見ながらその人に向かってドラミングをやってもらう
音が大きい人	音の柔らかくなるマレットを持ってもらって小さくする
いつも走ってしまう人	スピード制限を設ける。ファシリテーターがスピード制限の合図をして、グループを見ながら、みんなが追いつていける一番速いテンポを決める。速く叩くことよりも、いっしょにできることの楽しさを強調する
コントロールできない子ども	こういう子どもの存在は、ある人にとってはドラムサークルそのものの経験がぶち壊しになることにもつながる。ドラムサークルにとって子どもたちは実にありがたいものでも、きちんとした統制が必要になる。子守りのためのプログラムではないので、保護者にちゃんと見ていてもらうよう、お願いする

次のような質問を受けた場合

リズムを感じ取れない人にはどうしたらよいでしょうか。リズムのない人なんていないと信じていますが、自分が生まれながらにもっているリズムを感じたことがない人はいると思います。ダンスをしたことがない、動いたり、泳いだり、もしかしたら生きたこともない？リズムに苦労している人がいたら(そういう人はたいてい、眉間にしわを寄せたり、タイミングをはずして大きな音を出したりしていますが)、次のようなことをやってもらいましょう。

- ビートに従って叩くというストレスから解放して、アンビエント楽器をやってもらう
- ドラムを置いて目をつぶり、ただリズムを感じているだけというチャンスを与えてあげる
- ドラムに手を置いて、みんながやっているリズムの震動を感じてもらう
- ビートに合わせて、座ったまま、または立って、体を動かしてもらったり、ダンスをしてもらう
- ベース・ドラムの近くに動いてもらうか、ベース・ドラムをその人のところに持っていく
- １人だけ目立たせるようなことはしないで、見えないように手伝ってあげる。１人の人間を直すのではなくて、全員いっしょに調整することが大切
- ファシリテーターがこのような人の隣に座って、同じようなドラムでシンプルなリズムを叩く
- サークルの中の誰かを選んで、その人と同じように叩いてもらう

あなたのプログラムを作る
Designing Your Program

Gabore Ekecs

「私にとってドラムサークルは、教会に行くのとその後で夜遊びをするのが、ひとつになったようなもの」

ケネス・モア、　生産管理技術者

Design：設計する、企画する、計画する、作る、デザインするの意。
Designare(デジグネア)に起源、概略をつける、意味を作る。特定の機能や目的に合わせて工夫すること（メリアム・ウェブスター辞典より）

ドラムサークルで何が起きるか予測するのは不可能ですが、全体のプラン、つまり目的地とそこに至るための道筋を書いた地図を作っておくと役に立ちます。実際にドラムサークルは即発の行事で、その進行に従って見えてくる目的に、瞬時に即応するという場です。従ってファシリテーターは、常に方向転換できる柔軟性をもち、その方向を決めるカギに、注意を払わなくてはなりません。

計画を作るには、人によってさまざまなやり方があります。ぶっつけ本番でやるのが好きな人もいますし、きちんとしたスケジュールや進行計画に従っていく人もいます。自分自身の傾向をつかんで、もし計画型だと思ったら、ノートに概略をメモして、ゲームやいろいろな活動を、ドラムサークルにもちこんではどうでしょうか。実際、子どものドラムサークルでは、事前に計画したゲームが主流です。即興的な性格をもつドラムサークルには、十分な計画があっても、その場の状況に従って方針を変える柔軟性が求められます。

このものさしの1から10の目盛りで自分自身のやり方を測ってみましょう。

プログラム作成に関する4つのヒント

1. **相手を知る**
   まず自分が相手にする人たちに関しての情報と、何を目的に参加しているかについて知って、ドラムサークルに臨むこと。もしわからない場合は、*「初めてドラムサークルにいらした方は何人いますか？」*というような質問を初めにしてみること。

2. **ねらいを知る**
   もしそのグループが、ストレス解消を目的にしているとしたら、彼らを笑いに誘うようなプログラムを作ること。何か精神的な経験をしたくて来ているグループであれば、全員が歌える楽しい歌や聖歌を用意する。またエンパワメント(力をもらう、元気になる)が目的という人たちなら、その人たちにファシリテートしてもらう部分を考える。

3. **グループの大きさを考える**
   小さくて親密なサークルでうまくいくような、すばらしいゲームはあるけれど、小さいグループだとお互いに目立つので、最低でも15人以上の参加者が望ましい。大きなグループの場合には、それなりのスペースが必要で、騒音コントロールのために*「静かにして」*と言いたくなるかもしれない。

4. **プログラムの進め方を考える**
   ふつうドラムサークルは1時間から2時間だが、特別に30分というのも考えられる。計画したいろいろな**しかけ**を、初めの15分間で全部やってしまう、というのはよくある失敗で、進行の時間配分はよく考えること。時には、自分もグループのドラミングに参加して、ジャム・セッションを楽しむ。

課題：プログラムを絵にしてみる
これは、ステファニー・バッフィントンが、パサデナですばらしいドラムサークルをやった後、私と２人で話し合ってできたものです。ドラムサークルが終ったら、座って、線で絵を描いてみます。全体の時間の経過に沿って、山があり、流れもある、EKG(心電図)のような図を描いて、自分が止まったところ、話をしたところをマークします。これは全体のプログラムを眼で見るためのイメージ創りです。ハイライトのところを見て、自分がほんとうにうまくグループをリードできたかを確認しましょう。

プログラムの例

ドラムサークルに織り込んでほしい、大切な要素がいくつかあります。レモ社のレクリエーション・ミュージック・センターでは、ちょうど教会の礼拝で使う祈祷書のような概要を作りました。それには、だいたい次のような要素が含まれています。

10分　**ウォーム・アップ**
参加者が入ってくる時に音楽が鳴っている。それぞれ好きなドラムを選んで、聞こえる音楽に合わせて叩き、全員が気持ちよく乗ってくるまで続ける。その時点で、気付かれないようにボリュームを下げる

２分　**歓迎**
全員に歓迎の言葉がけをする。特に新しいメンバーには心を込めて

２分　**目的の説明**
レクリエーション・ドラミングの目的と、ドラムサークルの中でのファシリテーターの役割を説明する、大切なチャンス

２分　**ルールの伝達**
その日に守ってほしいルールに賛成の時は、大きくランブルしてくれるようにいう

・子どもの場合、親が自分の子どもに責任をもつこと

・手でドラムを叩く時には指輪をはずすこと

・全員が、ボリュームに注意してドラムを叩くこと

・全員、楽しく参加すること

Helene Barbara
十分ストレッチして。

3分 ストレッチ

ドラミングで体を動かし、上半身の筋肉を使うための準備として大切。まず数回深呼吸をして、前腕と手首を静かに伸ばし、肩と首を伸ばしたり縮めたりする

3分 ドラムを叩く練習

正しい叩き方を、楽しく、短かく、おさらいする

40分 ドラムサークル

ゲームやファシリテーションの合図を使い、アレンジもしながら、グループは**リズムの旅**に出発。目的地は**ポケット**

2分 次回の予告と感謝の表明

セッティングを手伝ってくれたり、挨拶したり、ドラミングでなにか特別の役割を果してくれた人たち全員に感謝する

5分 クロージング

歌を歌うか、呼吸とストレッチをするかして、ドラムサークルを離れる前に、ある種の終了感か着地した感覚をもってもらうことが必要

Body Beat™

アイスブレイカーの基礎

新しいメンバーが多い場合には、用意したプログラムに、アイスブレイカーを加えるとよいでしょう。ドラムサークルに使うアイスブレイカーとしては、参加者がウォーム・アップしながらグルーヴを盛り上げて行く方法がベストです。サミー・Kといっしょに考案した、ボディ・ビートという名前のアイスブレーカーがあります。デッキに34枚のカードがあり、それぞれ５種類のかっこいいパターンで、身体を楽器にして叩く音が入っています。タップ、ラップ、ホヮップ、クラップ、スナップの５つですが、ドラムを叩かないでチーム作りするゲームを使っても、またなにかの名前をリズムで叩くというゲームにしても、ともかくみんなが笑って、お互いに気持ちよくなることが、ポイントです。

UpBeat Drum Circles
www.ubdrumcircles.com

ドラムサークルのゲーム

名前のゲーム

名前をドラムで叩くというのが、多分いちばんよく知られた、しかも効果的なゲーム。コール・アンド・レスポンスで、グルーヴを始めるためにも使える

コール・アンド・レスポンス回し

あなたがコール・アンド・レスポンスのパターンを打ち始めて、全員がそれに応えられたら、こんどは誰かにリーダーになってもらう。そしてその人が次のリーダーを指名する、という具合に、リーダーが全員に回るまで続ける

サウンド・シェイプ・ツィスター

*ツイスター・ボードと、緑、黄、青、赤のサウンド・シェイプだけを使って、誰かにダイアルを回してもらう。みんなにその色のドラムを左手か右手で叩いてもらい、左足か右足でツイスターをやってもらう

サイモン・セッズ

このゲームを使って、リズムを声に出して言ったり、*「サイモンがドラムを2回叩けと言った」*のように言う。*「サイモンが、ドラムを肘で叩けっていった」*など、新しい**サイモン**を呼びこんで、中央でみんなに笑いを起こさせる

セレブレイション・サークル

エンディングとして最高のゲーム。グループ全員でランブルをして、誰かが中央に出てきてストップのファシリテーションをするまで続ける。その人が一言、みんなに伝えたいことを宣言して、またランブルに戻り、次に誰か、伝えたいことのある人が出てくるのを待つ

＊ツイスター・ゲーム：各色のボードに形をよじりながら手や足をのせるゲーム。　例：赤に手、青に足……など

子どものドラムサークルでのヒント

子どものためのドラムサークルでは、いくつか追加のルールや道具が重要になってきます。

マックスとカディン・スティーヴンス、
クリスティーンおばちゃんといっしょに

マレット・アップ

まず、スタートの前に、ストップすることを知ることがとても大切です。マレットを上げる合図で、マレットや手を空中に挙げて、みんなでいっしょにストップする、ということを教えます。

ホイッスルでストップ

ジムなどのクラスで使う方法ですが、ホイッスルの音を聞けば子どもたちは自然に固まります。私はサンバ・ホイッスルを合図用に使っています。

楽器の出し方

ボブ・ブルームとキャメロン・タメルから学んだことですが、あらゆる楽器を全部使って始めたりしない方がいいですね。まずボディ・パーカッションで始めて、シェイカーを加えて、それからマレットなしで、次にマレットを使って、という具合にすると、自然に子どもたちが盛りあがって、集中できます。

お話しと想像力

サウンド・シェイプに使うのはマレットやばちでなくて、**魔法のつえ**だと子どもたちにいうのです。「*もしみんながつえを天国に向けていっしょに止まれたら、願いがかなうのよ*」と話します。

女の子と男の子を分ける

中学生のグループの場合は、ファシリテーターの努力が若者のホルモンに左右されてしまうこともあるかもしれません。私は、「*昔は男の人と女の人は別々のサークルで集まっていたのよ、だから、今日はそれをやってみよう*」と言ったりします。

ドラムサークルの終了

私は最後に、よく歌か詩、または質問を使います。*「誰か、今夜の経験について何か言いたいことのある人はいませんか？」*いつもファシリテーターが質問に答えるのではなくて、誰かに歌か詩を披露してもらいましょう。びっくりすると思いますが、これをしないで終ったら、ちゃんと着陸しなかったという感じが残って、帰宅途中で迷ってしまったという怖い報告を受けたことがあります。以下はエンディングの例でありますが、このようにすると、ドラムサークルの最後に、参加者がしっかり地面に着陸できるようになります。

課題：ドラムサークルを閉じる

参加者に深呼吸を数回してもらいます。足はきちんとおろして、足の裏で床を感じるようにします。目を閉じて、手は楽器の上に載せ、ドラムに感謝し、リズムや歌、.身体に入ったリズムの余韻に感謝してもらいます。落ち着いたら、目を開けてサークルを見回し、いっしょにドラムを叩いてくれた仲間に無言でお礼を言ってもらいます。部屋を出る時、身体にあるリズムをいっしょにもって帰ることができるようにさせましょう。

エンディングは、時として始まりでもあります。さまざまな本を読んで、ドラムサークルの深い側面、つまりドラムサークルの音楽をとおして一人ひとりの変化に導く、という美学をいつも追い求めてほしいと思います。

Part II

ドラムサークルの心

The HEART of Drum Circles

Helene Barbara

「ドラムを叩くと、音楽でスムーズに会話ができてしまうんだ。タリアとは大切な音楽交換ができそうだ」

マイケル・ブレア、大工

「ドラミングって、自分がなんか得意なことをやる時の感じに似てるわ」

タリア・ブレア、中学生

分けられない要素

本書では、**アート**(技法)と**ハート**(心)を別々のパートにしていますが、この2つの要素はお互いに関連し依存しあっています。簡単にいえば、ドラムサークルの**技**(アート)はドラムサークルの**心**(ハート)から切り離せないものなのです。そこには、グループを同調させてしまうリズムの鼓動のように、音楽が力強い基盤となって築かれる心のふれあいができるからです。こう考えると、ファシリテーターとしてのあなたの役割は、音楽という枠を越えて、参加者を最高の状態にもっていくというところまで、大きく広がっていきます。

全人という考え方

全人という言葉は、肉体、知能、精神を包括した概念です。音楽を創ること自体は、おそらく最も古い**心**‐**知**‐**体**の健康法ですが、今日再び健康とウェルネス思考の主流に帰り咲いているものです。音楽の先生はテクニックや演奏に主眼をおきますが、ドラムサークルのファシリテーターは、音楽を越えた、人格や人への思いやり、サポート、それに、ドラムサークルの大切な人間的要素にも注目していかなければなりません。

目的

ドラムサークルに参加している理由は、必ずしも音楽とは関係なくさまざまです。この音楽以外の要素から、あなたのファシリテーション・テクニックの骨格ができて、ドラムサークルの手法が創られます。以下に、レクリエーション・ドラミングの効用を挙げましたが、あなた自身よく考え、さらにあなたがドラムサークルの参加者の様子を見て実感したことを、このリストに加えましょう。

- 楽しみ
- 自己表現
- ストレス解消
- 調和
- コミュニティー作り
- 頭と身体と心のエクササイズ
- 仲間意識と相互サポート
- 多世代家族の結びつき
- 精神的な経験

ドラムサークルがもたらすものは、音楽に留まりません。心の結びつきを取り戻すことや、遊びごころをもって、お互いにサポートしたり、お互いの歌を味わい、共感するチャンスです。実際のところ、音楽に意識が偏ってしまうと、最後列で、隣に座った年配の女性のドラムを支えてあげている若者がいることを、見逃してしまうかもしれません。この項では、ドラムサークルが、人間的な経験という観点からでどのように成功しているかを見て、このような目標を達成するために、最も効果的なファシリテーションとはどういうものなのかを考えてほしいのです。

変 容

Transformation

「私がドラムサークルに来るのはね、他の参加者といっしょに感じる内なるリズムが消え、日常の心配ごとなどを越えて、どこか違う世界にいる自分を発見するためなんです」

ウィリアム・バセット、俳優

Transformation：変貌、変化、変容の意。
意識している限界を越えて動いていくこと（メリアム・ウェブスター辞典より）

ドラムサークルは、音楽という領域を越えて、人びとの人生に強くかかわることができる可能性をもっています。ドラムサークルでの経験について話してもらうと、変容するような、という言葉がよく聞かれます。この**変容する**という言葉は、それ自体は、ドラムサークルの**形式**を越えていくことを意味します。一方人びとの人生が、ドラムサークルのもつ２つの大切な要素、つまり自己表現と社会との結びつきによって高められたり、根底から変わっていくこともあります。そしてこの変容が、３つの段階、つまり**身体**、**頭**、**心**で全人的な経験になり得るわけです。

1. 身体

隠れている、または忘れている肉体的な能力を発見すること

それは、杖を頼りに歩いてドラムサークルにやって来て、なんとか立ちあがったと思ったら、いきなり杖なしでダンスまでしてしまうような人。それまでドラムを叩いたことなどなかったけど、手が自然にドラムと触れ合って叩き始めてしまう人。私の友人のヘザー・マクタヴィッシュはパーキンソン病なのですが、ドラムは叩くし、長期ケアセンターでやったドラムサークルでは、ファシリテーションもやってしまいました。他人が、ドラミングなんてとてもできないと思うような身体の障害を越えてしまうことが、本人にとっては、やればできるという証明になるわけです。

2. 頭

新しい真実に気づき注目すること

思い悩む心を転換して、後向きの考えや、自分で考えている限界を乗り越えるチャンスになります。リズム感がないと言われながらも、勇気をふるってドラムサークルに参加して、自分はリズムを正しく感じられるし、ビートに合わせることもできる、ということを確信する人もいます。集中して考えることができなかったのに、ドラミングで悩みを解消してしまえる人のことです。

3. 精神

人とのつながり、調和を発見すること

つまり、精神の発見です。孤独で、人とうまくやっていかれないと感じていたのに、ドラムサークルの終りには、それまで赤の他人だった人をいきなりハグしてしまう人。神様を信じてはいないけれど、ドラムサークルに参加して初めて精神的なものに気がつく人です。コミュニティーのサポートと愛によって、人生の課題を乗り越えて、大きな一歩を踏み出すことができるのです。

この変容は、分別のある大人だけのものと思わないでほしいですね。下に載せた詩は、ノース・ハリウッドにあるレモ・レクリエーション・ミュージック・センターで行われているコミュニティー・ドラムサークルに、毎週火曜日の夜参加している12歳の少年が書いたものです。

Helene Barbara

ドラムを叩くとき

ショーン・ショイアリング、12歳

ドラムを叩くと、心臓の鼓動が聞こえる
頭から足の先まで、ドキドキするのを感じる
痛いのも、心配なことも、みんなどこかに行ってしまう
急いで何かしようなんて思わなくなる

ドラムを叩いていると、とても自由になれる
なんか困ったこともどこかに飛んで行ってしまう
平和と愛がとびこんでくる
そしてぼくの魂がハトのように翔んでいく
ともだちといっしょにドラムを叩いていると
家族みたいに感じる
いっしょに叩くと、ドラムがひとつになっている
ひとつの心、ひとつの魂、そしてひとつの想い

メモ帳は必須アイテム

あなたのドラムサークルに参加している人に、自分の感想をみんなに話してとお願いすることはいつでもできますが、ドラムサークルのもたらすインパクトをさらに深く理解していくために、次のようなことを実践してみてはどうでしょうか？参加している人に、匿名で書いてもらうと、より率直な応えが得られ、また彼らが経験したことを想い返して、心に深くしみこませるのにも効果的です。

課題：フィードバックをもらう

ドラムサークルに、小型のルーズリーフ式メモ帳とペン(または鉛筆)を持っていきます。参加者に無記名で、その日のドラムサークルの感想を、一文で書いてもらいます。参加者は、書くことでドラムサークルを振り返り、それぞれ経験したことを言葉にすることができる。彼らにとっては記憶するための助けとなり、あなたにとっては、ドラムサークルがそもそも何なのかという大切な情報を提供してくれることになります。とても感動的なものかもしれません。それに、あなたのドラムサークルについてのチラシやパンフレットにも活用できます。

ファシリテーションの心
The Heart of Facilitation

Helene Barbara

「ドラミングは私にとって、気持ちを和らげたり、鎮めたりしてくれて、ストレスを解消してくれるものです。それにともかく楽しい、たのしい、楽しいものなの」

ロージー・フークス，医療助手

Heart:：心、ハート、勇気、熱意の意。
人間のいちばん深いところにある性質、感情、傾向（メリアム・ウェブスター辞典より）

心のこもったファシリテーションをすることは、あなたがどういう人間であるか、またサークルの中であなたの真のあり方を発揮することに関わっています。それはあなたが、グループの人たちに対する心からの思いやりを示す手段です。ドラムサークルって大きな鏡のようなもので、あなたが与えることが100倍にになって返ってくるものです。あなたが失敗することに不安を感じながらドラムサークルに参加すると、グループの人たちは気になって落ち着かない様子になってしまうでしょう。あなた自身が楽しんで、その心を示してあげれば、何倍にもふくらんで戻ってくるはずです。

自分自身の準備

ビートが始まる前に、あなた自身が準備する時間をとって、ストレッチや深呼吸をし、身体を整えましょう。ファシリテーションは、実はエクササイズだということを忘れないでおきます。深呼吸をしてリラックスし、頭をすっきりさせましょう。そしてドラムサークルを始める前に一瞬待って、次のようなことをしてみましょう。これは、音楽の歓びを思い出して自分自身を奮い立たせる集中方法です。

課題：音楽の歓びにしっかり根ざして

初めて音楽を楽しいと感じた経験をちょっと思い出しましょう。いくつだったか、誰といっしょだったか、どこで、何をしていたか、その時の感じ、音楽や、その時いっしょにいた人とのかかわり、など思い出せますか？その思い出に関係している曲を歌ったりハミングしたり、なんならダンスを踊ってみてもよいでしょう。

船がいかりで海の深いところと結ばれているように、この思い出やその時の感じは、あなたのファシリテーションの基盤になってくれます。こうした音楽現場に自分をしっかり根づかせたら、あなたのドラムサークルに参加している人にも、音楽の歓びを呼びさますことができます。

心のスキル

かつては、ドラムサークルのファシリテーションに使えるとは考えられていなかった、方法や内容がありますが、今、ファシリテーターには、自分自身の特徴や経験を基にしながら、まったく新しいやり方をやってみる可能性があります。よく、ドラムがうまくないからドラムサークルのファシリテーターの資格はないと思っている人がいます。ファシリテーションでは、みんなが同じように心から参加していることがわかると、自分のあり方や、今まさに進行中の人生で何をどのように経験するか、またその質も見えてくるものです。サッカーのコーチをすることでも、労働者の統括でも、あなたの音楽外活動のファシリテーションがそのままあてはまるのです。偉大なコーチになるとか、優秀なリーダーになるために勉強をするとしても、大切なことは、いつも人間に対する思いやりをもち、彼らを力づけたり、内にある能力を発見し認め合うということに尽きます。

ファシリテーションの精神的な要素としてまず考えられることは、次のとおりです。

勇気

サークルの真中に入って、**炎の中に立つ**勇気をもつこと

誠実さ

自分に正直であること

信頼

信頼関係を築くこと

カリスマ性

鼓舞すること

おもいやり

サポートしようとする気持ちを見せ、共感すること

ユーモア

人生に、あなた自身に対して、笑いをもつこと

観察

グループの人々が求めていることを目で見て、心の耳で聞くこと

前向きの姿勢

ミスをするのではない、学ぶチャンスだ、と考えること

柔軟性

変化する事態を喜んで受け入れて即応すること

意　図

エントレインメント(同調)、つまり２つのリズムが合ってくる力のことを覚えていますか？はっきりとした意図をもつことでも、エントレインメントの効果が生まれます。特にファシリテーターが、グループが達成できる目標をはっきりと、しっかりもってドラムサークルを実施すると、その効果は大きいのです。最終目標をはっきりもって始めると、前向きな流れができてくるので、他の考えもそれに自然についてくるものです。

自分のドラムサークルをどういう意図で実行するか、自分の心に確かめましょう。ただ参加者に思いどおりやってもらう、ということかもしれませんし、おとなしい人たちに声を出してもらう、ということが目標かもしれません。あるいは９月11日のテロやコロンバイン高校の射撃事件といった悲劇と結びつくような、緊張感の高いものかもしれません。ファシリテーションをするたびに、音楽から離れて、ドラムサークルの目的は何かを考えます。あなたのドラムサークルの目的を心の中で形にしてみることは、あなた自身に返ってきますし、ドラムを叩くだけだと思って来た人たちには、リズムを越えた何かを感じてもらえることになります。

あそび

私たちが、**音楽はプレイ**(あそび)と言う時、きちんとした理由があります。すなわち、成人した人は誰でも、隠れた**あそび**心をもっていて、その心の中の**子ども**の要素のおかげで、お台所のポットやなべをバーンと叩いたりしていたんです。あなたが行うドラムサークルでも、こういうあそび心を高揚させて、ちょっといたずらっぽく目立たない、でも賢いアイディアを使って、ドラミングをしながらみんなが笑えることを考えましょう。笑うことで心がオープンになりますし、精神も解放してくれます。ですから、ドラムサークルで、何かばかばかしいと思うようなことをやってみるのは、実はとてもよいことなのです。叩いている人たちの大きな笑い声、それ自体が、グループ全体がプレイ(演奏)できる、いちばんステキな音なのです。

真の楽器
The REAL Instruments

Joy Krauthammer

「私が妊娠している時にドラムサークルに参加し始めたんです。ですからこの子が赤ちゃんの時からドラムサークルに来てるっていうことで、第２の天性だということになるわね。よちよち歩きなのに、リズム大好きでね。叩けるところがあればなんでも叩いちゃうの。自分で立てるとわかった時に最初にやったのは、なんとダンスだったのよ」

アン・ムカージー、教師でローレン(エリー)・ムカージー(12ヶ月)の母親

Real Instruments：本物の楽器、真の楽器の意。
人間はもともと生まれつき、音を創ったり、リズムに乗って動いたりする能力を備えている音楽的な体質をもっている。

人間はすべて、生物的に２つの楽器を持って生まれます。１つは声、もう１つは心臓のリズムです。音楽はすべての人が生まれながらにもっている権利なのです。特にリズムは生物学的な要素で、歩く、話す、心臓ドクドク、というポリリズムです。

音楽は余暇の過ごし方としてアメリカ人に人気がありますが、それでも彼らの生活の中で音楽をやめてしまった人はたくさんいます。

音楽的な欲求が抑えられている時、緩和剤になってくれるのがドラムサークルです。言葉では言い表せないことを言ってくれる、ドラムが音楽の鏡になって、心の底から話せるようになれる、そんなきっかけを作ってくれるのが、ドラムサークルなのです。

ドラムサークル恐怖症

ミュージシャンやドラマーにとっては、楽器に臨むことは日常茶飯事ですが、人によっては、信じられないくらい音楽が怖いということがあります。実際、音楽をやることについていろいろな神話を聞いていて、全然楽しめないという人もいるのです。そういう人たちは、よほど優れた才能がないと音楽はできないという嘘、リズム感のある人とない人がいるという嘘を信じてしまっているのです。私のドラムサークルで楽しくない経験をしたという人の話しを聞いても、そう思っている人はたくさんいました。それでわかったのですが、音楽を楽しめなくしているカベには、次の４つの恐怖が介在しているということです。

1. 演奏に対する恐怖感
2. ビートについていけないという恐怖感
3. その場で反応しなくてはいけないことへの恐怖感
4. かっこ悪く見えてしまうことへの恐怖感

緩和剤

このような恐怖感にもめげず、音楽をやってみたいという気持ちに動かされている人、特にドラムを叩きたいと思っている人はたくさんいます。**意識を向けるとエネルギーが集まる**と言われます。ファシリテーターとして、怖れを自信に変え、演奏よりも楽しむことに、できないことをできることに、意識を向けて、そういう恐怖感を取り除く手助けをしてあげられるのです。さらに、ファシリテーターが、正しいか間違っているかではなく、創造したり発見したりすることに重きをおいた、安心できる雰囲気を作ることです。ドラムサークル恐怖症を取り除くために、私が考えている10の役立つファシリテーション・アイディアを以下に一覧にしました。

1. **笑うこと**
   グループがはじけるような、ちょっとしたいたずらや、上品なジョーク、ゲームなど。Shave and Haircut, two cents（タン、タタ、タン、タン、ン、タン、タン！）これは、アーサー・ハルがジャム・セッションを終える時よく使うフレーズです。

2. **数の魅力**
   参加者が多ければよいわけではありませんが、初めてドラムサークルをやる人が１人でも、２、３人いても、その人たちを分け隔てしてはいけません。ドラムサークルのトラウマのために、次のサークルに来る人が減ってしまう可能性は大きいですから。

3. **目をつぶること**
   部屋を暗くしたり、目をつぶってもらうと、安心感が得られて、恥ずかしさを減らせるという点で重要な要素です。注意がそれてしまったら、自分で戻しましょう。

4. **誰かのために叩くこと**
サークルの中の誰かを選んで、叩きながらその人と気持ちを合わせるようにしてもらいます。

5. **他の人と同じように叩くこと**
ドラムサークルには、音楽の先生がたくさん参加しています。誰か他の人から、いつでも、叩くパターンを盗んでもらいます。こうすることで、グループがもっと深く結びつきますし、ファシリテーターではなく、参加者同志がお互いを意識するようになります。

6. **他の人のドラムを叩くこと**
お互いに相手のドラムを叩き合うようにすると、結果として相手に近づくことになって、自分が目立ちはしないかという心配を減らせます。

7. **アイスブレイカー**
みんなを笑わせたりお互いを知ることになるような、ばかばかしいゲームが、仲間意識や親近感を育てて、みんなの気分を和らげてくれるものです。

8. **サウンド・スケイプ**
アンビアント楽器やサウンド・スケイプを使うと、ビートが乱れる心配がなくなります。

9. **深呼吸すること**
リラックスすることがいちばん大切です。肩の緊張をほぐして、深呼吸をしてもらいます。

10. **ファシリテーターがミスをすること**
ファシリテーターがいつも完璧にならないでほしいのです。へりくだって参加者の前でミスをするということも大事です。

声を活用する方法

なぜ歌うことが大切なのでしょうか？この活動は、コーラスではなくてドラムサークルなのにね。

人間は声を使うと、誰もが生物として受け継いでいる、身体全体の音楽性を活性化することになります。ドラムを叩くことだけしていると、時には、音楽を手だけで感じてしまうことがあります。声を使うことで、歌うのでも、ただハミングのように音を出すだけ、ハーモニーをつけるだけでも、自分が生まれながらにもっている音楽の才能、つまり、声の存在に気がついて、急に生き生きしてくるものです。しかし、歌を歌うには、ひとつ乗り越えなければならない要素があります。それは、「*オンチじゃないの*」って言われる人がとっても多いことです。そこでその障壁を取り除いてあげることが、あなたの役割になります。

民族文化としてのドラムサークルには、歌がよく使われます。これはグループを結束させる方法として大きな力になる、つまり、いっしょに歌うことがいっしょに呼吸することになるからです。まず初めに、ファシリテーターが自分の声を出すと、参加者の声の出し方が変ってきます。勇気をふるって試してみましょう。そしてたくさん歌うことです。自分のドラムサークルに歌を取り入れる決心がついたら、次のことを参考にして試してみましょう。

- サークルに歌を取り入れる
- ドラミングを止め、ベース・ドラムだけ続けて、他の人は１音だけのリズムを続けながら歌い(ラ、ダ、デ、ダ…)、グルーヴが続くようにする
- 笑い声(ハ、ハ、ハハ、ハ…)を即興的に歌にしてしまう
- 声を使って、コール・アンド・レスポンスをやってみる
- ファシリテーターが**ラ**の音だけで歌い始めて、全員にハーモニーをつけてもらう
- どこかの小節の４拍めに、のどで「***ハッ***」と言ってみる
- ジャム・セッションの最後によく出てくる「*タン・タタ・タン・タン、ン・タッ・タ！*」をドラムサークルのコール・アンド・レスポンスに使ってみる

サークルで話す
Talking in Circles

*「ドラミングは、心をつなぐ言葉であって、忘れていた**生きる意味**を思い出させてくれるんです。ドラムを叩くことは、言葉を使わないで話すこと、そして心をこめて聞くことです」*

ラリー・グレイバー、カウンセラー

Talking：話をすること、しゃべる、ものを言うの意。
会話や交流をすることで、影響や効果を与えたり、何かを起こすこと。

レクリエーション・ドラミングは、実際に叩くことと同時に、頭を切り替えることでもあります。ドラムサークルで、あなたが自分の言葉ではっきり話せば、あなたの考えが浸透し、参加者はサークルでの経験を日常の生活に生かせるようになります。あそび心をもち、創造力も表現力も豊かで、しかもコミュニティーにつながっている、ということを重視していますが、こうした要素は、ドラムサークルのリズムが止まった後でも、私たちの生活に役立つことばかりです。

グループ・ドラミングでは、非常に心が開かれた状態になって、今この瞬間に意識が集中していますから、参加者は、サークルが終った後もずっと、あなたが言ったことを覚えているものです。30分もやっていたリズムを忘れてしまうのにはほんとうにびっくりしますが、参加者全員がいっしょに止まって完璧に静かになった時に、あなたが言ったほんのひと言ふた言をなぜだかきちんと覚えているのです。私の場合も、ドラムサークルを始めて１年以上も経ってから、私が言ったことを大変意味深く受けとめた、と言う人が何人かいました。従って言葉はよく考えて使いましょう。あなたの話す言葉の力を意識しておいてほしいのです。参加者たちの生活の中にくり返されて、心に響くようなメッセージを、言葉をとおして伝えましょう。

タイミングも大切です。１曲叩いた後、ステキな沈黙がやってくることがよくあります。そういう静けさをしばらくそのままにしておいて、それから、参加者のやる気を確かめ、変容する可能性に注目する場面にもっていきます。プラスの鏡になって、そこに見える、聞こえる、感じられる、良い面を全部映します。

The Way of Council（カウンセル法）、という優れた本がありますが、それには、メッセージに込める心を考える時、４つのルールがある、と書いてあります。このルールは、リーダーや年長者が集まって、部族の生活に関わることを話し合い決定していくという、原住民族のやり方から学んだアプローチで、今日の学校やコミュニティー、そしてドラムサークルでも、実際に使われています。

1. **心から話すこと**
   会話は創造力をもって、自分の感じていることを話して共感してもらう
2. **心から聞くこと**
   ドラムサークルがもたらすミラクルを受け入れる、柔軟な心をもって
3. **むだなく話すこと**
   コメントは短く、でもインパクトを与えるように
4. **リハーサルはしないこと**
   その場に身をゆだね、グループに起きてくるすばらしいことを見のがさずに、それにきちんと反応するように

聞いてもらうこと

ドラムサークルは明らかに音の大きい芸術表現になりがちですので、話したい時は参加者にきちんと聞いてもらえるようにすることが肝心です。静かになって聞くというのは、一休みして、それまでやってきたことを心の奥深く浸透させることができますから、参加者にとっても都合がよいのです。

振り返って、共感する

ファシリテーターが自分の言葉を使って、メッセージやドラムサークルの意味を伝えようとする場合、さまざまなやり方があります。以下のリストアップは、あなたが何を話すか考える時に参考にするとよいでしょう。

新しいドラマー、つまり新来のメンバーを歓迎し、祝福すること

誰にとっても、初めてのドラムサークルはなかなか思い出に残るもののようです。新来の参加者に対して、この特別な経験を祝い、賛えてあげましょう。

宿題を出すこと

例えば、「*今晩、このドラムサークルで気がついたことや感じたこと、覚えたことなどを日記にちょっと書いておいてください。それから誰か親しい人に話をしてみてください。どんな風に表現されるでしょうか*」と言ってみます。

肯定文で話すこと

プラスの鏡になって、ドラムサークルでできるすばらしい経験を映します。

感謝を表現すること

ドラムサークルを実現させてくれた人たちにお礼を言いましょう。先人たちに、参加してくれたすべての人に、特にベース・ドラムを叩いてくれた人たちにです。いつも感謝の気持ちを忘れないようにしましょう。そうすることで、ドラムサークル全体に、感謝する雰囲気が確実に生まれてきます。

少ない言葉で多くを語ること

誰でも、自分の声には好感をもっているものですが、そうだといっていつまでもしゃべり続けてはいけません。話しはできるだけ短くします。その方がより効果的です。

置き換えること

もしドラミングがただ叩くことではないとしたら、参加者たちが、ポイントを理解し、ドラムが目の前になくても、ドラムサークルの本質を思い出して、その経験を日常生活に置き換えられるように手助けしてあげることが必要です。リズムはどこにでも存在するので、この置き換えは難しいことではありません。

種をまくこと

「*この経験で、あなたは変りますよ。明日にも、あなたの一歩一歩が何だかはずんで、リズムになっているように感じるかもしれません！*」というように話してみましょう。

比喩を使うこと

例えば「*私にとって、このドラムサークルは、みなさんといっしょに叩いたリズムで創った、カラフルなモザイクです*」のような言い方をして、ドラムサークルがどんな意味をもったのか、参加者たちからいろいろ違った見方を聞かせてもらいましょう。

質問を投げかける

あなたがドラムサークルの参加者に質問することは、参加者にとって自分の経験を振り返ることにつながります。他の人の話を聞いて、自分とまったく同じだと共感するという、貴重な機会が生まれます。

グループに対しての質問の方法はいろいろあります。手を挙げて答えてもらうとか、サークルの近くに座っている人たちで話し合ってもらうなど、自分流のやり方を考えます。誰かが立って発表している時に、効果音の楽器をバックでやってもらうのもよいでしょう。

質問の種類については注意が必要です。目的がオープンなものから、特定の内容でイエスかノーで答えてもらうものまでいろいろあります。いつも率直に答えてもらえるようにしましょう。また、子どもには無理だ、などと決して考えないようにします。彼らこそ、深い意味のある質問に意味深い答えをしてくれることがあるのです。

ここに示すのは、あなたが自分の質問リストを作る時にまず考えてほしい、重要な質問です。

- 初めにここに入って来た時と、感じは変っていますか？
- 今日経験したことから、何を得られましたか？
- 何かを解放できましたか？
(私はこの質問をする前に、ドラムをひっくり返して中を見てもらいます)
- 今いったい何が起こっているのでしょうか？
(ごくあたりまえの質問ですが、いつもすばらしいびっくりするような反応が出てきます)
- 今日、精神的に刺激を受けたのは誰からですか？
- 今日経験したことで、明日もまた感じたいと思うことを１つあげるとしたら？

課題：ひと言

ドラムサークルを終る時に、参加者にその日経験したことをひと言で表現するとしたら、と考えてもらいます。初めファシリテーターだけが静かなビートを叩いて、参加者が一人ひとり、そのひと言をビートに乗せて叩きます。こうして、参加した人たちの経験から詩が生まれるのです。

メタファー
Metaphor

Helene Barbara

「私にとってドラムサークルの本質は、ただドラムを叩くことじゃないんです。人と結びつくこと、時を共有することです。そして１本の糸で私たちを繋げている、共通であることと一人ひとり違うことです。」

ベヴ・タベ、　教師

Metaphor：メタファー、暗喩、隠喩、たとえ、比喩(的な表現)の意。
ラテン語のMetaphora(メタフォーラ)が語源、転化すること。１つのことまたは概念を意味しながら、他の概念に代って、双方の類似性を示す言葉またはフレーズ（メリアム･ウェブスター辞典より）

ここでのメタファーとは、ドラムサークルの意味を生活の場に置き換える方法のことで、明快で印象深い絵を描くように、言葉で、世界共通の概念を言い表すことができるほど、大きなものです。メタファーは、音楽が終わった後も存続しています。

ドラムサークルに必ずある、チーム作りのためのメッセージは、協調の手段として大変有効になります。例えば、アルコール依存から回復することが大切だと感じさせるのは、自然の高揚を経験することであり、ガンを克服した人たちにとっては、健康や、癒しのために積極的な役割を果たすことです。また、多様な複合文化教育の有効な手段にできるのは、協調の力なのです。

人生にかかわる比喩的な表現には、音楽用語がたくさん織り込まれています。例えば、**完璧なハーモニーで生きる**など、音楽が生活に強く結びついていることは明らかです。私たちは、ドラムサークルがどれほど人生にとって活気のある、感動的な、踊りたくなるような、メタファーであるかを表現できる言葉を見つけたいのです。

森に木があるように

メタファーの本質はものごとの見方、視点です。1つの文だけで、ドラムサークルについての見方をまったく変えてしまうこともできます。あなたが話すメタファーによって、参加者の見方が変わったり、彼らが目的を達成できたりもするのです。レモ社のオーナー兼CEOのレモ・ベリーの言葉の中に、「*ドラムが単なる楽器だと考えるのはもう止めた方がいい*」という一節があります。これからドラムは、家族を1つに結ぶ道具、リタイアした人の健康維持のためのツール、さらにどの教室にもある教具と考えるようにしましょう。

例えば、9月11日のあの悲劇の後、私たちは主に2つのメタファー、**反省**と**復活**(振り返って元に戻ること)に従って、ドラムサークルを実施してきました。2つの部分には、それぞれまったく別の音楽を使いました。最初は音楽療法士のロン・ボルツォンのアイディアに従って、この事件で亡くなったカリフォルニア出身者の名前を渡して，その名前をドラムで叩いてもらいました。その次に、世界を変えるために何をしたいか、自分の意志をドラムで表してもらいました。最後に、異なる民族や宗教の人たち12人に、大きなレモ・ドラム・テーブルに集まってもらって、彼らが、ドラムサークルの閉めのリズムを、協調と平和を象徴、つまり、メタファーとして叩いてくれました。

あなた自身のメタファーのレパートリーを広げるために、次のことを実行しましょう。

課題：空白をうめる

以下の空白を、ドラムとかドラミングに関係のある言葉を使わずに、音楽以外の発想で書き入れます。

ドラムはちょうど ＿＿＿＿＿＿＿＿＿＿＿＿＿＿＿＿＿＿＿＿＿＿＿＿＿＿＿＿＿＿＿＿＿＿＿＿＿＿＿ のようです。

ドラムサークルは、＿＿＿＿＿＿＿＿＿＿＿＿＿＿＿＿＿＿＿＿＿＿＿＿＿＿＿＿＿＿＿＿＿＿＿＿＿＿＿ のようです。

過去に経験したすばらしいドラムサークルを思い出して、それがどういう意味をもっていたかを考えてみましょう。

世界共通のメタファー

ユニティ（協調性）

ドラムサークルでは、独特の一体感を経験できます。私たちは称して*「音楽で1つになること」*と言いますが、**One − 1つ**という表現は、私たちがみな繋がっているということを意味していて、ドラムサークルはこのことを想い出させてくれるものです。チームを作ることで、すぐにも経験できることなのです。ドラムを見ていなければグループにいる人が目に入るでしょう。その人たちがみんないっしょに何かしている、つまりそれぞれの声で、共通のビートに合わせて、グループ共通の歌を歌っているのです。ドラムサークルは、人びとが結びつき、仲良く生きていくための最善の方法を示す、象徴（メタファー)なのです。

ディヴァーシティ（多様性）

ドラムサークルに登場する人や音やリズムには、さまざまな違いが見られます。非常に多様です。ドラムサークルの雰囲気の中で、それぞれの人がそれぞれ独特のスパイスをもち込みますが、すべて受け入れられますし、初めからのような多様性が尊重されています。

ライフ

ドラムサークルは、人と共感すること、表現、協調、創造、そしてもちろんあそび心のある生き方に対するメタファーなのです。

人それぞれのメタファー

ドラムサークルに来る人たちは、それぞれ何か与えられるものをもち、何か得られるものを求めて、部屋に入ってきます。サークルでの経験に、それぞれ特有の見方や理解をもっていて、サークルに来たものの、何かがっかりしたり、孤独を感じたりしているかもしれません。そんな時、たまたま隣の人が寄ってきて、ドラムの持ち方を教えてくれたとしたら、突然その人は、やさしくされ、サポートされているんだと感じるでしょう。この時ドラムは、もうただのドラムではなく、ほんとうに必要な時のサポートと結びつきを象徴する、贈り物になるのです。

ドラムは、力、声、道具、能力、鏡など無限のものを示しています。一人ひとりが、自分なりのドラムサークルの経験からメタファーを選び、一人ひとりの歴史についての見方を、自分自身で考えるチャンスをあげましょう。

きらめきの伝達

私にとって、この本自体がメタファーです。ドラムサークルのファシリテーションについての知識や情報にとどまらず、多くのことをあなたに伝達してきました。ドラムサークルが社会を変える手段になる、という私の信念も情熱もすべて伝えています。これは私があなたに渡す、真に輝くもの、トーチですが、実はこれは古代の人びとが実践していたことなのです。

今この瞬間に、世界のあちこちでドラムサークルをやっている人たちのことを考えましょう。あなたは今、すごい勢いで広がりつつある大きなチームの一員です。そのチームは、あらゆる人びとに音楽への扉を開こうという究極の目標に向かっています。

できる限り多くの人に、ドラムサークルの経験をさせてあげましょう。あなたのコミュニティーや生活の中で接触するさまざまなグループから、ドラムサークルの依頼を受けたら、いつでも応じて、その中で触れ合ったすべての人たちが、心の内にあるリズムに改めて意識を向けられるように、導いてあげてほしいのです。

たくさんの人たちとドラムサークルを共有すれば、それだけあなたの中でそれがどんどん大きくなっていくことでしょう。

さあ、トーチをもって、聖火リレーに参加しましょう。

付属のCDについて

このCDには、3つの重要な目的があります。

1. このCDを使って練習することによって、リズムがよくなって、自信をつけられる
2. 参加者がこのCDといっしょに叩いていると、ドラムサークルがすぐに始められ、またどんな場面でもグルーヴを変えられる
3. 鏡に映して練習できる。ファシリテーション・トラックを使って、鏡を見ながら自分の合図を練習できる

CDトラック1 4/4のグルーヴ

Tempo=96　2拍子

この4/4のグルーヴは、簡単なジュン・ジュンのパートとベルのパターンが中心になっていますが、すてきなコンガとジャンベ・パートが内在しています。ベルの力強いパターンがリズムを支え、バックビートのタンブリンが全体に味つけをしています。ベル、ドラムまたはパーカッションで、聞こえるパターンどれにでも合わせられますが、自分のパターンを作って合わせてみるのもよいでしょう。

CDトラック2 6/8のグルーヴ

Tempo=108　3拍子

この6/8のグルーヴは、力強いジュン・ジュンのパートや、かっこいいベルのパターン、パルスを刻むシェイカー、そしてミドル・ドラムをフィーチュアしています。聞いていると、コンガとジャンベがやさしい対話をしているのが聞こえます。音楽に合わせて身体を動かしてみると、このグルーヴがダンスをする人たちに人気があるわけがわかります。

CDトラック3 ファンク・グルーヴ

Tempo=89　2拍子

10代の人たちが参加するドラムサークルを始める場合には、このグルーヴはとても効果的な、知っておくべきリズムです。この4/4のスウィング・グルーヴでは、ベース・ドラム、クラップ、タンブリン、コンガ、ジャンベをフィーチュアしています。

CDトラック4 ファシリテートされたドラムサークル

Tempo=105　2拍子

これはファシリテートされたドラムサークルの例で、中で聞こえる言葉に合わせて、あなた自身がボディ・ランゲージ・キュー(身体を使って合図する)の練習です。鏡で見ながらやってみましょう。ファシリテーションは視覚に訴える仕事です。この曲をロードマップのようにバラバラにしてみたので、流れをよく理解しながら練習できるでしょう。

1. ビートが確立されるまで、ダイナミクスを大きくしたり小さくしたり揺らしながらランブルする
2. ストップする長さを変えたり、その中にブレスを入れたりしながら、ストップ／スタートをカウントする。(アレンジ用語では、主題と変奏)
3. 大きく／小さくとダイナミクスを使う
4. 1人(ベース・ドラム担当)に注目し、そのソロに他の人がクラップを乗せる。コンガ、ジャンベ、シェイカー、ベルで、ソロの間に刻みを入れる(続けて、それからソロ以外の人は止めて、と示しながら)
5. グルーヴ上で、1拍または2拍のアクセントをつける
6. 速くしていく(2回)
7. 終わりに向かって大きくカウントダウンする

CDトラック5 サウンド・スケイプ

フリー・テンポ

これは、効果音の打楽器と、パルスがない曲のサンプルです。ここではスプリング・ドラム、オーシャン・ドラム、レイン・スティック、チャイム、それにもちろんいつものドラムも、**音でつくる詩**を独特の叩き方をします。木製の楽器グループ(ベース・ドラム、シェイカー、ハンド・ベル)の楽器同士の対話と、叩き方(1拍ずつの形に対してランブル)がとても美しいアレンジになっています。この曲は初めと終わりにチャイムのやさしい音を使っている、いわゆるブック・エンドです。

CDトラック6 コール・アンド・レスポンス

Tempo=95　2拍子

ジャンベ、コンガ、ベース・ドラム、それに声をフィーチュアしたコール・アンド・レスポンスの例で、声でコール・アンド・レスポンスしながら、スピード・アップしたエンディングに導いていきます。グルーヴの中でカウントして始める形のとても良い例です。

CDトラック7 メロディーを使ったファシリテーション

Tempo=98　2拍子

ジュンジュンから始め、シェイカー、ジャンベ、コンガと順に重ねていきます。このトラックはドラムサークルのボリュームを下げて、そこに小さいフルートでメロディーを重ねるという例です。メロディーのコール・アンド・レスポンス、フルートとそれぞれのの楽器(ジャンベとコンガ)とのデュエット、さらにメロディーを支えるリズムのアクセント(私はフルートを吹きながら足で合図している)など、いろいろなアレンジの方法が盛り込まれています。

このCDのドラムサークルでプレイしてくださった以下の方たちに感謝します。

シンシア・フィッツパトリック
コンガ、オーシャン・ドラム、
シェイカー

Remo

クリスティーン・スティーヴンス
シェイカー、タンブリン、フルート、
レイン・スティック、ファシリテーションの合図

Remo

サミー・ケイ
ベル、アシコ、ジャンベ、タンブリン、
スプリング・ドラム

Helene Barbara

ジェイムス・パトリック
ジュン・ジュン、チャイム

参考資料本一覧

World Music Drumming : Across Cultural Curriculums
by Will Schmid

The Heart of the Circle : A Guide to Drumming
by Holly Blue Hawkins

The Healing Power of the Drum
by Robert Lawrence Friedman

Drum Circle Spirit : Facilitating Human Potential through Rhythm
by Arthur Hull
(2004年9月エー・ティー・エヌより日本語版出版予定)

When the Drummers Were Women : A Spiritual History of Rhythm
by Layne Redmond

The Forgotten Power of Rhythm : Ta Ke TI Na
by Reinhard Flatischler

Drumming at the Edge of Magic : A Journey into the Spirit of Percussion
by Mickey Hart

Planet Drum : A Celebration of Percussion and Rhythm
by Mickey Hart

Spirit into Sound : The Magic of Music
by Mickey Hart

Keeping Together in Time : Dance and Drill in Human History
by William H. McNeill

The Drummer's Path : Moving the Spirit with Ritual and Traditional Drumming
by Sule Greg C. Wilson

Ritual : Power, Healing, and Community
by Malidoma Patrice Some

Of Water and the Spirit : Ritual, Magic, and Initiation in the Life of an African Shaman
by Malidoma Patrice Some

Drumming the Spirit to Life
by Russell Buddy Helm

The Healing Drum : African Wisdom Teachings
by Yaya Diallo

The Way of Council
by Jack M. Zimmerman

Buffalo Woman Comes Singing : The Spirit Song of a Rainbow Medicine Woman
by Brooke Medicine Eagle

Drum Circle : A Guide to World Percussion
by Chalo Eduardo and Frank Kumor
ドラム・サークル：世界のパーカッション・ガイド（エー・ティー・エヌより日本語版出版 巻末広告参照）

DRUM(Discipline, Respect, and Unity through Music)
by Jim Solomon

参考ビデオおよびCD

Videos

The Guide to Endrummingment
by Arthur Hull (Interworld Music, www.interworldmusic.com)

The Drum Along Drum Circle Video
(Interworld Music)

Universal Keys to Hand Drumming
by Paulo Mattioli (foru video set, www.rhythmjourney.com)

Bongo Jam, Conga Jam, Djembe Jam, Hand Percussion Jam
by Kalani (www.kalanimusic.com)

CDs

Mickey Hart : At the Edge of Magic
Supralingua
Babatunde Olatunji : Drums of Passion

ウェブ・サイト情報

クリスティーンの個人ウェブ・サイト
UpBeat Drum Circles
www.ubdrumcircles.com

Music Therapy National Office
www.musictherapy.org

American Music Conference
www.amc-music.org

Remo Drum Company
www.remo.com

*Health*RHYTHMS™
www.remo.com/health

Dr. Bittman's Wellness website
www.mind-body.org

クリスティーンについて

クリスティーン・スティーヴンス、MT-BC, MSW, MA,は、全米音楽療法協会認定の音楽療法士で、ソーシャルワークと音楽療法協会認定の修士課程を修得している。研修の指導や、講演、執筆、音楽活動に豊かな才能を示しながら、命を高揚させる手段として音楽表現の力に意識を向けるよう啓蒙する、言わば現代版吟遊詩人である。(あの事件のあった)コロンバイン高校の生徒や、ニューヨークのグラウンド・ゼロ PS150のためにドラムサークルのファシリテーションをしている。自分自身で組織する団体、UpBeat Drum Circlesをとおして、会社のチーム作りや会議の基本方針、多様性のトレーニングやウェルネス研修などのためのプログラムを制作。また共同ファシリテーターのサミー・ケイとともに、Body Beat™という、ボディ・パーカッション・カード・ゲームを開発し、これはアイスブレイカーや教具としても世界中で使われている。またレモ社主催の音楽療法および健康プログラムのディレクターとして、*Health*RHYTHMS™(ヘルスリズムス)と呼ばれる、医学的に有効なドラムサークルのファシリテーション・プログラムの開発にかかわっている。このプログラムは現在、アメリカを初め、中国、日本、グァテマラ、ヨーロッパでも広く展開されている。音楽活動、健康に関する活動ともに積極的で、Mind-Bodyウェルネス・センターと打楽器芸術協会のウェルネス委員会のコンサルタントにもなっている。メディアでは、CBSのThis Morning KABC-Los Angeles, London Tonight, Living Better TV, またHong Kong Newsで取り上げられており、印刷媒体では、The Christian Science Monitor, First for Women Magazine, Fast Company The Oriental News and Natural Beauty and Healthなどで注目されている。著作についてはhealthy.net、Remo.com, ubdrumcircles.com, また音楽教育と音楽療法、音楽表現、健康の分野のニューズ・レターや機関誌、雑誌にも掲載されている。彼女はマルチ楽器奏者として知られており、Up with People Internatinalの音楽ディレクターとしてクレジットされ、作曲や演奏でも多方面にわたり幅広い活躍をしている。

UpBeat Drum Circlesのプログラムや製品についての詳細は、
310-770-3398またはe-mail：info@ubdrumcircles.com.
ウェブ・サイトは、www.ubdrumcircles.com.

レモ社の、*Health*RHYTHMS™について、最新の研修プログラムに関しては、
REMO(661-294-5655) またはe-mail：healthythms@remo.com.
ウェブ・サイトは、www.remo.com/health.

レモ・レクリエーション・ミュージック・センター(RMC)について

レモ社は、単なる楽器開発の先駆者ではない。レクリエーションとしての音楽活動のためのセンターを先んじて設立した会社である。その活動に参加するための試験もなく、レッスンが行われるわけでもない。事実、毎週火曜日の夜開かれるコミュニティー・ドラムサークルには常に100名の参加者があり、誰でも歓迎というポリシーのため、彼らの音楽力はさまざまである。カリフォルニア州、ノース・ハリウッドにあるRMCは、L.A.TimesからMy Generation(AARP)誌まで、あまたのメディアによるインタビューにも応じて、市長府より特別な感謝と称賛を受けている。進行中のリサーチによって、音楽活動の幅を広げ、人に音楽のできるテニスコートを提供するような、ノウハウと企画に関する情報を、音楽業界に対して提供している。創立者レモ・ベリーの夢は、あらゆる人が容易に参加できるよう、さらに多くのセンターを作り、そこに、音楽を信じ、ウェルネスを信じる人びとが定着することである。

本書に登場する人たちの写真、および引用とイメージは、毎週行われているドラムサークル・コミュニティーとレモ・ベッリの了解を得て、ほとんどこのセンターより提供されている。

定価［本体4,200円＋税］

リズムを通じて人間の可能性を最大限に引き出す

アーサー・ハル ドラムサークル・スピリット《CD付》

Drum Circle Spirit　*Arthur Hull* 著

本書は、リズム・イベントをとおして行うコミュニティ創りのための本です。本書では、さまざまな対象グループ別のサークルを紹介しますが、一般的モデルとしては、オープン・コミュニティ・ドラムサークルを使っています。

ファシリテーションは、人びとが一緒になり、１つのパーカッション・オーケストラとして音楽を創る際の手助けをすることです。本書で紹介するさまざまなツールを使い、美しい音楽を創り、コミュニティのニーズをサポートしましょう。

ファシリテーションを学ぶために、音楽やハンド・ドラムの教師である必要は全くありません。実際、音楽やハンド・ドラムの教師は、適切なファシリテートをするために、彼らがすでに知識としてもっているものをいったん捨て去らなくてはならないことが多々あります。

本書は、基本的なファシリテーション原理の理解と、ドラムやパーカッションを使ったリズム表現をとおしてのコミュニティのエンパワーメントを目的として、あなた独自のユニークなスタイルを確立するためのものです。

定価［本体3,500円＋税］

世界のパーカッション・ガイド

ドラム・サークル《オーディオ／ヴィジュアルCD付》

Drum Circle / A Guide to World Percussion　*Chalo Eduardo & Frank Kumor* 著

世界のパーカッション・ガイド／ドラム・サークルは、世界４大陸の打楽器のテクニック、音色、歴史とさまざまなリズムについて紹介しています。本書はそれらを学ぶための手がかりや各文化に固有の主要リズム、歴史や伝統的なスタイルの概観を自分のものとすることを目的としています。

各楽器のチューニングの方法と構え方を読み終えたら、演奏の準備が整います。正しく演奏するための技術的なポイントが楽器ごとに説明され、続いてリズムやドラム・アンサンブルでのアレンジ例を記してあります。

本書の内容

ハンド・ドラム【コンガ、チンバウ、ジャンベ、ドゥンベック】　**フレーム・ドラム**【タンボリン、タール、ボラン】　**ジングル付フレーム・ドラム**【パンデーロ、リック、タンバリン】　**ベース・ドラム**【スルド、ジュンジュン、タンタン】　**ベル（シングル・ピッチ／マルチ・ピッチ）**【トライアングル、カウベル、アゴゴ、ガンコーギ】　**リズム楽器**【シェケレ、ガンザ、カバサ、スネア・ドラム、マラカス、グィロ】
可変ピッチの楽器【トーキング・ドラム、クイーカ、ビリンボウ】　**コール・ドラム**【ティンバレ、ヘピニケ】　**世界の伝統的なドラム・アンサンブル**【中東、西アフリカ、キューバン・ルンバ ー ワワンコ、ブラジリアン、マラカトゥ・バーキ・ヴィラード】　**世界のビート・アンサンブル、ワールド・パーカッションのアンサンブル、楽器とリズムの選定、基本構造**

ファシリテーターの「在り方」
エンパワーメント・ドラムサークル
佐々木 薫 著

定価［本体2,500円＋税］

本書は、長年「ドラムサークルの父」アーサー・ハルの直近で活躍してきた著者による、アーサー・ハル方式ドラムサークル・ファシリテーション・メソッドの解説書です。著者自身の経験および著者の師であるアーサー・ハルや国内外のファシリテーターとの交流・議論を通じて得た貴重な知識や解釈を述べ、ドラムサークルの奥深さを解き明かした画期的な１冊です。

ドラムサークル・ファシリテーションがたんなる表面的なものではなく、具体的スキルや知識と、ファシリテーターの「在り方」そのもの両面を兼ね備えたものである、ということを３部構成で解説します。

Section 1　ドラムサークル、DCファシリテーター、楽器等についての再定義と説明

Section 2　エンパワーメント型ドラムサークルを行うための視点

Section 3　DCファシリテーションを深めるためのリズム・ゲーム・ワークブック

すぐに役立つドラムサークルの細々とした知識から、ファシリテーターの成長を促し「在り方」を確立するためのヒントまで、世界的でも希少なドラムサークル書籍として、ビギナーからアドバンス・ファシリテーターまでが読める内容です。

ドラムサークル・ファシリテーターズ・ガイド
トゥギャザー・イン・リズム《DVD付》
Together in Rhythm　*Kalani*：著・演奏

パーカッション・マスター、教育者、ドラムサークル・ファシリテーターとして数々の賞を受賞している*Kalani*が、ドラムサークル・ファシリテーションの神髄を伝えます。*Kalani*のドラムサークル・ミュージックのアプローチは、あなたのファシリテーション、音楽教育、健康およびウェルネス、個人または専門家の成長と育成、レクリエーションなどの効果的なプログラムを創るために役立つでしょう。

定価［本体4,500円＋税］

本書の内容

■即時に成功をもたらす統合的な音楽創りのための、包括的かつ効果的なアプローチ

■リキュラムに沿ったアクティビティ、情報源、創造力に富むアイディアなどを使用して、参加者の創造的な可能性を探索する

■アクティビィティ、ゲーム、世界の打楽器ガイド、インタビューなどが収録されたDVDから、*Kalani*のダイナミックなファシリテーションを学ぶ

■創造的な思考力、傾聴力、チームワーク、自己決定能力やコミュニケーションなど、参加者たちの人生において必要不可欠なスキルを発展させる

■魅力あるリズム・イベントを発展させると同時に、あなた自身のリーダーシップや感性、プレゼンテーション能力を向上させる

■学校、レクリエーション施設、楽器店、キャンプや保健所、家庭のために役立つ情報

定価［本体4,300円+税］

ATN, inc.

ファシリテーターのための
ドラムサークルの創り方・楽しみ方

アート・アンド・ハート・オブ
ドラムサークル

The ART and HEART of Drum Circle

3571-2

発行日　2004年　5月25日（初版）
　　　　2009年　8月　1日（第1版2刷）
著者　Christine Stevens（全米音楽療法協会認定 音楽療法士）
翻訳　石井　ふみ子
監修　長坂　希望
発行・発売　株式会社 エー・ティー・エヌ
©2004 by ATN,inc.
住所　〒161-0033
東京都新宿区下落合 3-12-21 目白エミネンス102
TEL 03-6908-3692 / FAX 03-6908-3694
ホーム・ページ　http://www.atn-inc.jp

＊万一、乱丁・落丁がありました時は、当社にてお取り換えいたします。© 無断複製・転載を禁じます。

ISBN978-4-7549-3571-9